BINTI,
UNE ENFANCE DANS
LA TOURMENTE AFRICAINE

DEBORAH ELLIS

BINTI, UNE ENFANCE DANS LA TOURMENTE AFRICAINE

Traduction de l'anglais (Canada)
par Anne-Laure Brisac

L'édition originale de cet ouvrage
a paru en langue anglaise
chez Fitzhenry & Whiteside, Toronto, Canada,
sous le titre :
The Heaven Shop

Remerciements

Aux enfants laissés en chemin

Je voudrais remercier Pamela Brooke, responsable du Story Project, au Malawi, qui m'a offert son hospitalité et régalée de son vin, et qui m'a présenté les enfants de la radio ; Mary Phiri des Amis des Orphelins du Mulanje, qui m'a montré le travail étonnant qu'ils effectuaient ; Laura Peetoom, une extraordinaire éditrice ; et mon père Keith Ellis et Dawn Dowling, pour leurs courriels qui me tenaient compagnie lors de mes voyages. Remerciements tout particuliers à l'extraordinaire peuple du Malawi et de Zambie, pour son hospitalité et pour avoir accepté si généreusement de me raconter son histoire.

1

— Ta mère est morte du sida !

— C'est pas vrai !

— Si, elle aussi ! Tout le monde le sait.

— Elle est morte. Elle est morte, un point, c'est tout. Pas du sida.

— C'était une mauvaise femme, elle est morte du sida et...

— Coupez !

Binti était tellement prise par la scène qu'elle continua à réciter son texte, et il fallut que M. Wajiru répète ce qu'il venait de dire.

— Cou-pez ! Binti, tu n'es pas à la bonne distance du micro. On va devoir reprendre la scène depuis le début.

Binti lança un regard noir à Stewart, l'autre enfant acteur de la pièce. Il rayonnait.

« Fonce, et vas-y avec le sourire, se dit Binti. Ton rôle est facile comme tout, même une dinde pourrait le jouer. »

— Et vous autres, continua le metteur en scène, vous devriez tous en prendre de la graine ; regardez comment Binti a lu cette scène. On n'aurait pas cru que c'était inventé. Bon, si elle pouvait faire exactement la même chose, mais dans le micro, cette fois...

La troupe profita de la pause entre les deux prises pour s'éclaircir la gorge, se moucher et s'étirer. Une fois l'enregistrement lancé, il n'était pas question de bouger un muscle, car le moindre bruit risquait d'être capté par les micros. Même s'il ne s'agissait que d'une répétition et qu'ils n'enregistreraient la version définitive qu'après la deuxième pause, M. Wajiru insista pour qu'ils disent le texte exactement comme si la bande tournait.

— Très bien. Préparez-vous. On va reprendre ce passage depuis le début.

Binti respira un bon coup, se détendit et se concentra. Elle connaissait bien son texte ainsi que celui des autres rôles, et elle n'avait nullement besoin du script.

Son regard balaya la petite pièce qui servait de studio pour la société Story Time. On avait suspendu des couvertures aux murs de ciment pour éviter que les voix ne renvoient de l'écho et ne produisent un son bizarre. La seule décoration des lieux était un dessin d'oiseau de Kwasi, le frère de Binti. M. Wajiru le gardait dans le studio pour leur rappeler que leur voix était diffusée dans tout le Malawi.

Dans l'esprit de Binti, les murs du studio devenaient la maison de Gogo, où avaient lieu la plupart des scènes de la série *Gogo et sa famille*. Binti jouait le rôle de Kettie, la petite-fille de Gogo. Stewart n'était plus alors un collègue rasoir de pièce radiophonique, il devenait le cousin que son personnage à elle ne pouvait pas supporter, qui était venu s'installer chez Gogo après la mort de sa mère.

Le metteur en scène lança le signal de la reprise dans le haut-parleur. Binti était prête.

— Merci. C'était excellent, dit M. Wajiru quand ils eurent fini la scène. On fait une pause. Allez prendre l'air. Et quand vous revenez, soyez prêts pour l'enregistrement.

Binti se sentait vidée, co... ... une g... ... art d'elle-même s'était lai... ...

pause allait lui permettre de retrouver son énergie, cela se passait toujours ainsi.

— Binti, la journaliste du *Youth Times* est là, annonça Mlle Jimu, l'assistante de production, en posant la main sur l'épaule de Binti.

Binti n'avait pas oublié. Elle suivit Mlle Jimu dans l'un des petits bureaux. Une jeune femme en pantalon était assise devant un monceau de documents.

— Je vous présente Binti Phiri, dit Mlle Jimu, avant de les laisser toutes les deux.

La journaliste sourit et serra la main de la jeune fille.

— Merci d'avoir bien voulu me consacrer un peu de temps.

Binti posa par terre quelques dossiers qui encombraient une chaise et prit place. Il lui fallut un moment avant de pouvoir détacher son regard des vêtements de la journaliste. Celle-ci s'en rendit compte et éclata de rire :

— Cela fait des années que Banda n'est plus président à vie, n'empêche que les gens sont toujours étonnés de voir une femme porter des pantalons.

Binti savait que, sous le président Banda, la loi interdisait aux femmes et aux filles de porter autre chose que de longues jupes et des robes. Elle-même ~~~~~~~~~ é de pantalon. Elle avait des robes pour la vie de tous les jours, d'autres pour les grandes occasions, sans compter bien sûr son uniforme d'écolière, un blazer et une jupe. Quand elle enregistrait, elle portait toujours sa deuxième plus belle robe, la bleue avec la dentelle que Junie avait cousue dessus. Sa plus belle robe était réservée pour l'église.

— Des clients de mon père disent que la vie était plus facile quand le président Banda était au pouvoir. Il y avait moins de gens au chômage.

— Plus de gens étaient torturés, aussi, pour avoir exprimé leurs opinions. Qu'est-ce qui est le plus important, à ton avis, Binti, le travail ou la liberté d'expression ?

Binti réfléchit quelques secondes.

— Ça dépend si on est très pauvre ou pas trop.

La journaliste rit, mais de bon cœur, et non pour se moquer de Binti.

— Allez, je sais que tu n'as pas énormément de temps, on va commencer, d'accord ? J'ai cette fiche sur toi : donc je sais que tu es en classe de septième à St Peter's, une école de filles, que tu as treize ans, et que ton rôle dans *Gogo et sa famille* est ton premier rôle professionnel. Bon, avec tout ça j'ai encore des tas de questions à te poser. Pour commencer, parle-moi un peu de ta famille.

— Ma sœur aînée, Junie, a seize ans. Elle n'a

qu'une seule chose en tête, c'est Noël, son petit ami. Ils sont fiancés, mais mon père tient à ce que Junie finisse d'abord l'école. Junie est d'accord, de toute façon. C'est une bonne élève. Ensuite, il y a Kwasi, mon frère, qui a quatorze ans. Il adore dessiner, surtout des oiseaux, mais il sait très bien dessiner les gens, aussi.

Elle ne précisa pas que le timide sourire de travers qui se lisait parfois sur le visage de son frère signifiait en général qu'il pensait au prochain dessin qu'il avait envie de faire.

— Et puis après il y a moi, je suis la plus jeune.

— Et tes parents ?

— Je n'ai que mon père. Ma mère est morte il y a six ans, de maladie.

La journaliste ne demanda pas de quelle maladie il s'agissait. Binti n'en savait rien. Tout ce dont elle se souvenait, c'est que sa mère gardait souvent la chambre, qu'elle maigrissait à vue d'œil jusqu'à donner l'impression de s'effacer complètement. Puis un jour, la maison avait été remplie de cousins, d'oncles et de tantes, et Mama était partie pour toujours.

— Qu'est-ce qu'il fait, ton père, comme travail ?

— Il s'occupe d'un petit commerce. Il fabrique et vend des cercueils. Son magasin s'appelle *Aux*

Portes du Paradis, c'est sur New Chileka Road. On habite derrière le magasin.

Binti espérait que la journaliste donnerait ces informations dans son article, même si son père ne cherchait pas particulièrement de nouveaux clients. Il avait toujours des quantités de commandes.

— Il nous apprend la menuiserie, à mon frère et à moi, mais on n'est pas encore très bons. Je suis meilleure que mon frère, quand même. Ça le barbe, de passer du temps à prendre les mesures comme il faut.

— Et dans ta vie de jeune fille réelle, il y a une Gogo ?

C'était le nom dont la plupart des habitants du Malawi appelaient leur grand-mère.

— Je n'ai pas connu la mère de ma mère. La mère de mon père habite au Mulanje. C'est elle que j'appelle Gogo. Mais je ne la connais pas très bien.

Binti ne précisa pas qu'elle ne la connaissait pas du tout, que la dernière fois que Gogo était venue, c'était lors de la mort de Mama. Elle n'était pas restée longtemps, mais Binti se souvenait de ses baisers chaleureux.

— *Gogo et sa famille* est la série radiophonique la plus écoutée au Malawi, dit la journaliste. Des millions de gens écoutent ta voix toutes les semaines, dans les maisons et les villages de tout le pays. J'imagine que tu reçois des lettres d'admirateurs.

— Je reçois plein de lettres, des lettres d'enfants et aussi d'adultes.

— Et qu'est-ce qu'ils te racontent, dans leurs lettres ?

Binti sourit.

— Beaucoup me disent que je suis affreuse. Ils croient qu'ils écrivent à Kettie, mon personnage. Ceux qui m'écrivent à moi, Binti, me disent des choses gentilles, ou bien ils me racontent qu'il leur arrive des choses semblables à celles qui arrivent à Kettie.

— Est-ce que tu lui ressembles ?

— Je suis bien plus sympa, répondit Binti. M. Wajiru dit que mon personnage est odieux parce qu'il apprend aux gens le contraire de ce qu'il faut être.

— Qu'est-ce que ça fait, d'être célèbre ?

— Je ne suis pas toute seule, on est toute une équipe, dit-elle – c'était l'une des réponses qu'elle avait apprises du metteur en scène qui avait répété l'interview avec elle. Mon père est fier de moi, ajouta-t-elle, en souriant toujours.

Binti regardait la journaliste griffonner ses feuilles tout en l'écoutant. Elle n'avait pas vraiment répondu à la question. Qu'est-ce que cela faisait, d'être célèbre ? Cela lui faisait plaisir d'être payée chaque semaine. Même si elle donnait la plus grande partie de cet argent à sa famille, elle en bénéficiait, ainsi que Junie, Kwasi, car ils recevaient de l'argent de poche. Elle aimait se rendre aux studios de Story Time et recevoir un paquet de lettres d'admirateurs, même si elle n'aimait pas trop se donner le mal de répondre. Elle aimait ce sentiment de n'être pas n'importe qui, quand elle arpentait le marché de Blantyre. Même si les gens des magasins et des échoppes ne savaient pas qui était cette jeune fille qu'ils regardaient, sa voix entrait chez eux.

Ce qu'elle aimait surtout, c'étaient les jours où ils enregistraient, c'était jouer son rôle et se donner du mal pour quelque chose de si amusant. Même si elle devait redire une réplique des dizaines de fois, trouver enfin le ton juste faisait que cela en valait la peine.

La journaliste cessa d'écrire et jeta un coup d'œil à ses notes.

— J'ai oublié de te demander comment tu as trouvé ce travail.

— J'ai passé une audition, dit Binti. Mon père a vu une annonce dans le bulletin qu'on reçoit de la bibliothèque. Ma sœur, Junie, m'a amenée ici. Il y avait une longue queue d'enfants qui venaient passer l'audition. On nous a demandé de lire quelques lignes devant un jury d'adultes. Ils ont demandé à certains d'entre nous de recommencer. J'ai continué à lire jusqu'à ce qu'il ne reste plus personne d'autre, et ils m'ont donné le rôle.

— Et ça fait quatre mois que tu fais partie de la série ?

— Huit, corrigea Binti. Cela fait quatre mois que l'émission est diffusée, mais on enregistre quatre mois à l'avance.

— Les sujets qui sont traités sont des sujets sérieux, le sida, des histoires de meurtres, de gens qui perdent leur travail... Tu es sûre de toujours bien comprendre ce dont ça parle ?

« Évidemment ! eut envie de dire Binti. Je ne suis pas idiote, sinon je n'aurais pas eu le rôle. »

Mais elle se tut. Elle ne voulait pas que les lecteurs croient qu'elle avait une trop haute idée d'elle-même.

— J'essaie d'avoir le comportement qu'aurait n'importe quel enfant normal. Dans la scène qu'on joue aujourd'hui, je me moque d'un cousin qui vient vivre chez nous. Je n'ai pas envie qu'il soit là, alors j'essaie de faire en sorte qu'il se sente mal à l'aise en lui racontant que sa mère est morte du sida. Mon personnage veut qu'il se sente honteux. Un enfant dirait ce genre de chose.

— Alors, comment ça se passe ? demanda

M. Wajiru en faisant irruption dans la pièce comme un ouragan – c'était son genre. Binti, si tu as besoin de faire quoi que ce soit avant qu'on commence l'enregistrement, c'est le moment ou jamais.

M. Wajiru ne laissait jamais personne interrompre un enregistrement pour des choses dont on aurait dû s'occuper plus tôt.

— Vous avez assez de matière pour votre article, n'est-ce pas ? demanda-t-il à la journaliste. (Elle eut l'air de vouloir répondre que non, mais M. Wajiru fit un grand geste du bras.) Allez au bureau qui est à l'entrée. Ils vous donneront une documentation qui vous expliquera ce qu'on fait ici. Parce que, vous savez, on ne produit pas seulement des séries radiophoniques, on publie aussi des BD sur le sida et le VIH, sur des questions de nutrition, sur toutes sortes de choses.

D'une main, il fit sortir la journaliste de la pièce et, de l'autre, il poussa Binti vers les studios où se trouvait le reste de la troupe. M. Wajiru était toujours habillé de vêtements de couleurs vives, ce qui donnait à ses gestes une allure encore plus théâtrale. Ce jour-là, il portait une large chemise à grandes manches orange et vert vif.

Dix minutes plus tard, Binti, qui se sentait en grande forme et pleine d'énergie, avait retrouvé sa place devant le micro.

— Tout le monde est là ?

Le metteur en scène entra dans la pièce et balaya l'espace du regard.

— Tout le monde est en place ? Parfait. Alors allons-y, un épisode que le Malawi aura drôlement envie d'écouter !

Il disait cela avant chaque enregistrement. Binti aimait entendre cette phrase. Elle aimait se dire qu'ils faisaient du bon travail, qu'ils produisaient des émissions que les gens auraient envie d'écouter. Comme toujours au moment de commencer l'enregistrement, elle sentit une excitation l'envahir.

Le metteur en scène quitta la salle où se trouvaient les micros. Binti le suivit du regard tandis qu'il allait se placer derrière la grande vitre à côté du technicien. Elle voyait bien que lui aussi ressentait cette espèce d'excitation, comme elle.

Elle devait sans doute lui sourire, car il lui sourit à son tour. Juste une ou deux secondes. Car une seconde plus tard, il criait :

— Bon, tout le monde est prêt ? On commence ! Acte un, scène un. Et débrouillez-vous pour qu'on y croie !

La pièce radiophonique commença. Binti cessa d'être Binti et devint Kettie, la fille cadette de *Gogo et sa famille*.

2

Après l'enregistrement, Binti reçut le script de l'épisode suivant. L'équipe de techniciens l'autorisa à rester encore un peu dans le studio, pour siroter un jus de fruit et profiter le plus possible de ces sensations si fortes qu'elle ressentait ces jours-là.

Elle avait le droit d'aller à la radio et d'en revenir toute seule. Elle avait assez d'argent sur elle pour prendre le minibus, mais préférait marcher. Les minibus étaient toujours bondés et, quand elle se trouvait compressée parmi la foule, elle n'éprouvait pas ce sentiment d'être différente des autres.

Binti jeta un rapide coup d'œil en arrière avant

de franchir le portail qui menait à la rue. La maison de la radio était un beau bâtiment, avec des murs de briques grises et un toit de tuiles rouges, situé en arrière de la rue dans un jardin rempli d'arbres et de fleurs. Et cette rue-là était calme, ombragée et moderne.

« Un jour, j'habiterai une maison comme celle-là », se dit-elle avant de faire signe au gardien pour qu'il ouvre la porte.

Comme toutes les maisons chics, celle-ci était entourée d'un mur élevé et gardée par des vigiles.

Binti vérifia que son script était bien en évidence, de sorte que les gens qui savaient lire pourraient voir le titre et se rendre compte qu'elle était quelqu'un d'important. Puis elle prit la direction de chez elle.

Binti était contente d'habiter à Blantyre, la plus grande ville du Malawi. Le nom de la ville venait d'Écosse, là où était né David Livingstone, un *mzunga*, un Blanc, qui était arrivé au Malawi vers 1800, à l'époque où le pays s'appelait encore Nyassaland. Blantyre était une ville animée, avec des rues pavées et de beaux immeubles qui abritaient des banques. Binti adorait cette excitation qu'elle ressentait quand elle se promenait le long des magasins, même si elle n'était pas une fan de shopping comme l'était sa sœur Junie. Et puis Blantyre se trouvait dans la partie du Malawi située en altitude, de sorte que les magasins étaient entourés de collines et de beaux paysages. Il y avait même une petite montagne, le mont Soche.

Binti longea un hôtel de luxe, le Mount Soche Hotel. Sur l'un des arbres du jardin elle aperçut les guêpiers, ces petits oiseaux rouges que son frère s'amusait souvent à dessiner. Le grand salon de l'hôtel était souvent utilisé pour de grandes réceptions. Story Time y avait organisé une fête, un jour, au moment du lancement de la série. Binti et sa famille s'y étaient rendues. Ils s'étaient bien amusés, mais c'était si différent de la vie qu'elle menait d'ordinaire qu'elle s'était presque sentie soulagée quand elle était rentrée chez elle, au magasin de cercueils.

Aujourd'hui Binti aurait trouvé cela plus facile. Elle espérait qu'il y aurait bientôt une autre fête.

Elle quitta la rue principale et prit la route en terre battue qui conduisait à la bibliothèque, passant devant les enfants qui vendaient des bonbons dans des boîtes en carton posées à même le sol. Elle était en nage. On avait beau être au mois de mai, bientôt en hiver, les après-midi étaient encore chauds. Binti regarda à travers l'une des vitres de la bibliothèque. Elle était remplie de gens qui profitaient du week-end pour venir lire. Sa sœur Junie devait être là, aussi, normalement, pour faire ses devoirs.

Binti l'aperçut, assise à une table, en face de son petit ami Noël. Ils n'avaient pas vraiment le nez plongé dans leurs livres, ils étaient plutôt en train de se faire les yeux doux. Binti allait frapper un petit coup à la vitre, mais une expression sur le visage de Junie l'arrêta.

Junie avait un visage ovale, comme leur père. Binti ressemblait plutôt à leur mère, avec un visage rond. L'espace d'un instant, Binti vit quelque chose qu'elle avait déjà vu longtemps, bien longtemps auparavant – le regard de son père sur sa mère, un regard rempli à la fois d'amour, de tendresse, de souffrance et de tout l'espoir du monde.

Binti baissa le bras. Ce regard contenait plus encore que toutes les pensées qu'elle pouvait avoir en ce jour d'enregistrement.

Elle reprit le chemin de la maison. Elle se trouva bientôt sur New Chilika Road, où elle habitait. Sur l'un des trottoirs s'étaient installés des vendeurs de vêtements d'occasion, au milieu de leurs étals faits de poteaux de bois fixés par des cordes et des clous, ou de bouts de feuilles de plastique étalées à même le sol. Les jeans, les chemises, les robes, les pulls dont les Américains ne voulaient plus étaient entassés en d'immenses piles. La foule des fins de dimanche après-midi se pressait le long des étals de vêtements. Quand Junie n'était pas avec Noël, elle venait souvent là pour farfouiller parmi les stands. Elle avait l'œil pour repérer la perle rare enfouie au milieu d'une immense pile d'horreurs importables.

De l'autre côté de la rue s'entassaient les petites boutiques qui occupaient le moindre espace vacant, laissant tout juste assez de place aux piétons. Derrière s'étendait une petite vallée parsemée de maisons et de sentiers qui conduisaient aux autres quartiers de Blantyre. Binti poursuivit son chemin parmi les vendeurs de fruits et de légumes. Certains avaient des stands en bonne et due forme. La plupart étaient des femmes assises derrière leur étalage de bananes ou de tomates. Des garçons coupaient des pommes de terre pour les faire frire. D'autres allaient d'un endroit à l'autre, les bras chargés des chemises, stylos ou piles électriques qu'ils tâchaient de vendre à la sauvette.

Binti aperçut quelque chose qui l'arrêta tout net en pleine rue.

Devant elle se trouvait un nouveau magasin de cercueils.

« Mon père ne va pas être content, pensa-t-elle. Et *moi*, ça ne me fait pas plaisir du tout. Ça va lui enlever des clients. »

Elle quitta la route pour rentrer dans la boutique.

Celle-ci ressemblait en bien des points à celle de son père, sauf que le cercueil exposé le long du mur n'était pas en bois, il était fait d'une belle matière verte. Binti s'approcha.

— Il est beau, n'est-ce pas ? dit un homme.

Il n'était pas couvert de sciure comme son père.

— Je m'appelle M. Tsaka. C'est moi qui tiens la boutique.

Binti salua poliment et reconnut que le cercueil était un bel objet.

— Mais j'imagine que vous n'êtes pas là pour acheter un cercueil, dit M. Tsaka.

— Je voulais seulement voir en quoi il était fabriqué.

Des personnes entrèrent dans le magasin. M. Tsaka prit l'expression du commerçant qui reçoit un client. Le père de Binti faisait la même chose, mais seulement quand il était vraiment fatigué et qu'il n'avait plus la force de sourire avec naturel.

— Bon, eh bien tu as vu maintenant, alors tu n'as plus qu'à rentrer chez toi. Les gens n'auront pas envie d'acheter mes cercueils s'ils voient un enfant ici. Ils vont trouver que ça ne fait pas sérieux.

Binti tendit le cou pour essayer de voir ce qu'il y avait au fond du magasin. Elle aperçut d'autres cercueils de prix, enveloppés dans du plastique transparent. Elle voulut voir de plus près, mais se dit que le propriétaire des lieux ne la laisserait pas faire. Elle reprit son chemin. De loin, elle aperçut l'enseigne de la boutique de son père. *AUX PORTES DU PARADIS – Nos cercueils vous emmèneront sans tarder aux portes du Paradis !*

Binti était arrivée.

Son frère, Kwasi, était assis par terre, le dos appuyé au poteau qui faisait le coin de la rue. Un sourire en coin, il était en train de dessiner son père au travail. « Mes doigts ont soif de dessin », disait-il parfois.

Binti se pencha pour voir ce qu'il avait crayonné. C'était un dessin entièrement fait au crayon noir, et non avec les crayons de couleur dont Kwasi se servait parfois. Il possédait aussi un petit matériel d'aquarelle qu'on lui avait offert au Noël précédent. Mais c'était un objet précieux et il s'en servait peu.

— C'est bien, apprécia Binti. Mais tu l'as fait trop maigre.

Le dessin représentait leur père nageant dans ses vêtements, avec des bras maigres comme des baguettes de tambour et un visage osseux.

— C'est parce qu'il est vraiment comme ça, répliqua Kwasi.

— Pas autant que ça. Et tu ferais mieux de te mettre un morceau de carton sous les fesses si tu ne veux pas te faire gronder par Junie parce que tu as de la terre sur ton pantalon.

— Tu es dans ma lumière, répondit Kwasi – c'était toujours ce qu'il disait quand il voulait se débarrasser de quelqu'un.

L'atelier du magasin était situé au milieu de la cour ; l'endroit était ouvert, et abrité par un toit en tôle. Le père de Binti se trouvait là, en train de mesurer une planche. Binti eut un choc quand elle remarqua que son bras était encore plus mince que la planche.

— Coucou, Bambo, dit-elle en saluant son père à la mode du Malawi.

Il leva les yeux et lui sourit.

— Alors, comment va ma petite fille célèbre, aujourd'hui ?

Son regard était brillant, comme toujours.

— Oh, Bambo, dit Binti d'un ton un peu plaintif, mais en lui rendant son sourire. Toi aussi, bientôt, tu vas être célèbre. J'ai parlé à la journaliste des Portes du Paradis.

— Ah ! oui, c'est vrai, tu avais cette interview, aujourd'hui, c'est ça ?

— Bientôt, des gens viendront de tout le Malawi pour t'acheter tes cercueils.

— Peut-être que j'aurai besoin qu'il me pousse une autre paire de bras, dit son père en riant.

Comme ça, je scierai le bois de l'une et clouerai les planches de l'autre.

— Il faudra qu'on te trouve de nouvelles chemises, ajouta Binti. Si ça existe, les chemises à quatre manches, Junie en trouvera.

— Tu vas aller ranger cette belle robe sur un cintre et vérifier que tes vêtements du dimanche sont prêts pour aller à l'église demain, dit-il. Et après, peut-être que tu pourrais faire une bonne petite tasse de thé à ton vieux père.

— Ça devrait être possible.

C'était le rituel des jours où elle revenait du studio. Elle traversa la partie de la cour où étaient stockés les cercueils en bois à l'abri de la pluie, et entra dans la petite maison. Elle posa la bouilloire sur le gaz, et le temps que l'eau bouille, elle avait troqué sa jolie robe contre une vieille jupe et une chemise élimée.

Elle plaça l'argent qu'elle avait gagné dans la vieille boîte à sucre, sur l'étagère du haut, puis prépara trois tasses de thé. Kwasi entra pour boire la sienne. Binti retourna vers son père avec les deux autres.

Son père souffla un peu pour faire refroidir le thé avant de le boire à petites gorgées.

— J'ai vu Junie à la bibliothèque, elle faisait les yeux doux à Noël.

— Du moment qu'elle fait aussi les yeux doux à ses livres, dit Bambo.

Junie était censée passer son examen de fin d'année de lycée dans moins d'un an. Si elle obtenait de bons résultats, elle pourrait aller à l'université, après avoir travaillé pour gagner un peu d'argent.

— Elle devient tellement idiote, quand elle est avec lui.

— L'amour, ça rend idiot n'importe qui, dit son père. Parfois, je regardais ta mère, et j'oubliais absolument tout, jusqu'à mon propre nom.

Il posa sa tasse de thé et alla chercher une autre planche qu'il plaça sur l'établi. Il parut n'avoir même pas la force de soulever la planche. Celle-ci lui échappa et glissa sur le sol. Binti l'aida à la ramasser.

— Tu es de nouveau malade, Bambo ? Veux-tu que je te tienne la planche ?

— Je ne suis pas malade, et j'aimerais que tu fasses ce que tu as à faire et que tu balaies la boutique, répondit-il.

Binti s'empara du balai. Son père aimait que le magasin soit impeccable.

— Nous devons faire le maximum pour montrer que nous respectons nos clients et leur douleur, répétait-il souvent. Un magasin qui est en désordre, c'est comme si on leur disait qu'on se moquait de leur chagrin, et ils iront se procurer leurs cercueils ailleurs.

Sans compter qu'un magasin propre diminuait les risques d'incendie. Binti balaya avec précaution les copeaux de bois et évacua la poussière dans la cour. Elle fit un tas des copeaux. Un voisin qui avait besoin de combustible et ne pouvait se le payer viendrait les prendre durant la nuit.

— Il y a un nouveau magasin de cercueils qui s'est ouvert en bas de la rue, dit-elle. Ils ont des cercueils vraiment luxueux en vitrine.

— Je suis allé voir cette boutique pendant que tu étais à la radio, répondit son père tout en arrondissant l'angle d'une planche à grands coups de rabot. Je voulais leur souhaiter la bienvenue dans le quartier. Hélas, du travail, il y en a bien assez pour nous deux. Ces cercueils de luxe arrivent d'Afrique du Sud en pièces détachées. Tout ce qu'il y a à faire c'est de les monter. Où est le travail de menuiserie, là-dedans ? Les cercueils sont beaux, mais ils ne sont pas pour nous.

Binti le regarda tailler d'une main experte les joints qui unissaient les planches sans avoir besoin de clous. Il en utilisait très peu, mais ses cercueils étaient extrêmement solides.

— Voilà pourquoi tant de familles reviennent nous voir, disait-il souvent.

Binti imagina l'horreur que ce serait si un cercueil se déclouait en plein milieu d'un enterrement. Puis elle vit un jeune enfant entrer dans le magasin.

— J'ai besoin d'un cercueil pour mon petit chien.

Le garçonnet berçait dans ses bras un petit animal blotti contre le Mickey de son tee-shirt usé. Le père de Binti posa sa scie, contourna l'établi et se mit à genoux devant le petit garçon.

— Ton petit chien est mort. C'est vraiment triste. Comment est-ce qu'il s'appelle ?

— Mandela, murmura le garçon, et une larme roula sur sa joue.

— C'est un très beau nom. Il faut que nous lui fabriquions un très beau cercueil.

Il se releva, en s'appuyant sur l'établi.

— Binti, va voir ce que nous avons comme bois.

Binti courut vers la pile de petites planches. C'était un tas composé des chutes de bois trop petites même pour les cercueils de bébé. Elle tira du lot quelques morceaux.

— Ceux-là iront très bien, dit Bambo. Viens m'aider, Binti. Voyons comment tu sais t'y prendre, maintenant.

Binti ne travaillait pas aussi vite que son père, et les joints qu'elle faisait n'étaient pas aussi serrés, mais il leur fallut peu de temps à eux deux pour couper les planches du petit cercueil et les assembler.

— Tu feras un bon menuisier, dit son père. Est-ce que ça ira ? demanda-t-il au garçonnet.

Celui-ci déposa tout doucement le petit chien dans le cercueil.

— Il va avoir froid.

— Binti, va me chercher un de mes beaux mouchoirs bien propres.

Binti savait exactement où son père les rangeait, car c'était elle, la plupart du temps, qui les pliait et les remettait en place quand Junie avait fait la lessive. Elle alla en chercher un. Bambo en enveloppa le chiot bien serré puis posa le petit couvercle sur la boîte.

— Combien est-ce que je vous dois ? demanda le garçon.

— Tu as de l'argent ?

Le garçon fit signe que non.

— C'est bien ce que je pensais. Je te propose de revenir demain pour m'aider à faire le ménage dans l'atelier. Je t'aide, et tu m'aides. Ça te va, comme marché ?

Le garçonnet hocha la tête gravement, et serra la main de Bambo. Puis il saisit de ses deux bras le petit cercueil et quitta l'atelier. Binti et son père le suivirent des yeux.

— D'ici à demain il aura oublié, fit remarquer Binti.

— Tu te trompes. Il va revenir. Nous avons conclu un marché.

— J'espère que ça ne va pas donner l'idée à d'autres enfants d'apporter leurs animaux morts pour qu'on leur fabrique des cercueils, dit Binti. Ils pourraient même apporter un rat mort qu'ils auraient trouvé dans les poubelles, dire que c'est leur animal favori, se faire donner une boîte pour rien, et aller balancer le rat sur le tas d'ordures.

— Si tu veux mon avis, répliqua son père, on a les moyens de fabriquer deux ou trois cercueils gratuits pour des animaux de compagnie, s'il le faut, du moment qu'ils ne sont pas trop grands. Disons que la taille maximum, ce serait celle d'un hippopotame.

Binti gloussa. Elle avait vu des hippopotames au lac Malawi quand ils étaient allés rendre visite à leur oncle, à Monkey Bay, des années auparavant. Ils étaient énormes, franchement drôles, avec un caractère pas du tout facile. Elle imaginait les affreux animaux de compagnie que cela aurait fait.

— Ou sinon, un éléphant !

— Ou une girafe ! Tu vois d'ici la forme du cercueil qu'il faudrait que je fabrique pour une girafe de compagnie ?

Son père dessina en l'air quelques angles bien précis. Binti et lui éclatèrent de rire. Là-dessus, une camionnette remplie de femmes en larmes qui chantaient à tue-tête s'arrêta devant la boutique : l'heure n'était plus aux rires, il fallait retourner au travail.

3

— Mais enfin, pourquoi es-tu de si mauvaise humeur, ce matin ? demanda Binti à sa sœur, quelques semaines plus tard, tandis qu'elles se rendaient à l'école.

Binti avait à peine mis le pied hors du lit que Junie était déjà en train de faire la tête et d'essayer de provoquer une dispute entre leur père et elle. Est-ce que Bambo s'en était rendu compte ? En tout cas, il n'en avait rien laissé paraître, ce qui avait réjoui Binti et Kwasi – mais n'avait pas amélioré l'humeur de Junie pour autant.

Elles marchèrent sans rien dire une bonne partie

du trajet. Leur uniforme d'élève leur donnait fière allure, surtout Junie. C'était toujours ainsi, quels que soient les vêtements qu'elle portait, elle avait l'air particulièrement chic et élégant. Binti se demandait bien comment elle faisait.

— Qu'est-ce qui ne va pas ?

Junie était enfin d'humeur à répondre.

— Je me suis levée tôt pour regarder les livres de comptes.

Junie s'occupait de la comptabilité de l'entreprise de leur père. De temps en temps, elle demandait à Binti de l'aider, pour qu'elle apprenne. Quand elle serait mariée, ce serait à Binti de s'en occuper.

— Il y avait quelque chose qui n'allait pas ?

— Il y avait beaucoup moins d'argent que ce qu'il devait y avoir. La plupart des bénéfices du mois dernier, Bambo les a donnés aux cousins.

Binti resta silencieuse. Elle connaissait la suite.

— À chaque fois qu'on commence à s'en sortir un peu, il envoie de l'argent aux cousins. Je sais bien que c'est la famille, mais bon, il leur en faut combien ?

Binti ne disait toujours rien.

— J'ai posé la question à Bambo, ce matin, quand je lui préparais son petit déjeuner, ajouta Junie.

— Et alors ?

— Alors, il a répondu ce qu'il répond à chaque fois : « Tu as ce qu'il te faut dans ton assiette, non ? Tu as un toit pour dormir ? » « Non, ça ne suffit pas », je vais lui dire, un de ces jours. La vie, ce n'est pas seulement manger et dormir. C'est aussi penser à l'avenir et faire ce qu'il faut pour ça.

— Tu as besoin de quelque chose ? demanda Binti. Je gagne de l'argent, moi.

— Ne commence pas à me parler de ta vie de grande vedette, s'il te plaît. Il ne s'agit pas de toi.

— Simplement, ce que je voulais dire...

— Tu n'es qu'une enfant. Tu t'imagines que parce que, aujourd'hui, tout est fabuleux, demain tout sera fabuleux. Mais ça n'est pas comme ça que ça marche. Les choses vont mal. Les gens tombent malades. Il faut s'organiser pour quand la situation ira plus mal encore. Il faut que nous mettions de l'argent de côté. C'est ce qu'on nous apprend, au cours de gestion, mais Bambo jette tout l'argent par les fenêtres. « C'est la famille », voilà ce qu'il dit. Et nous, qu'est-ce qu'on est ?

— Pourquoi est-ce que les choses iraient mal ? demanda Binti.

— Mais tu es vraiment naïve, toi, alors, rétorqua Junie qui se mit à marcher plus vite.

Binti essaya de suivre son rythme, mais Junie voulait être tranquille.

— Fiche-moi la paix, sinon tu vas voir ce qui va t'arriver ! cria-t-elle.

La colère lui donnait des ailes : l'instant d'après, elle était à des mètres devant sa sœur. Pour un oui ou pour un non Junie ne cessait de répéter à Binti qu'il allait lui arriver des problèmes. Ces menaces exaspéraient Binti chaque fois un peu plus. Sans compter que ce n'était là que l'une des multiples manières autoritaires qu'avait Junie d'embêter Binti. Comme ce matin, par exemple : Junie lui avait dit de mettre son pull pour aller à l'école.

— C'est la saison du chiperoni, avait-elle expliqué.

Le chiperoni était ce vent froid qui soufflait sur le Malawi durant les mois d'hiver, en juin, juillet et août. Binti savait pertinemment qu'on était en hiver, et elle aimait bien le pull bleu ciel qui allait avec la jupe, le chemisier blanc et le blouson bleu marine de son uniforme d'école. En fait, elle était sur le point de retourner le chercher quand Junie lui avait intimé l'ordre de le mettre.

— Eh bien alors, ne le mets pas, avait répliqué Junie quand Binti l'avait regardée droit dans les yeux et avait claqué la porte. Mais ne va pas te plaindre si tu attrapes froid et que tu ne peux plus aller à la radio.

Binti aurait dû s'incliner, mais elle voulait prouver à Junie qu'elle était aussi têtue qu'elle. Plus tard dans la matinée, elle s'était retrouvée à grelotter dans le hall de l'école où se tenaient les assemblées des élèves, et elle s'était sentie plutôt bête.

Mme Chintu, la directrice, monta les marches qui menaient à l'estrade.

— Bonjour, mesdemoiselles, dit-elle.

— Bonjour, madame la directrice.

Binti et les autres préfets des élèves se levèrent pour faire la révérence, comme il était d'usage. Ces élèves avaient été choisies pour aider à la surveillance de l'école. Mme Chintu exigeait leur présence dans le hall pour la grande réunion du matin.

Elle s'arrêta devant Binti.

— Pourquoi grelottez-vous ? demanda-t-elle. C'est la malaria ?

— C'est le chiperoni, répondit Binti.

Mme Chintu perdit immédiatement son ton aimable.

— Vous auriez dû mettre un pull. Vous pouvez en emprunter un, il y en a dans l'armoire à vêtements qui est dans le bureau. Comment voulez-vous vous concentrer en classe si vous gelez ?

Binti ne voulait pas toucher cette armoire : elle était remplie d'objets donnés par les familles d'étudiants fortunés et des donateurs britanniques au

41

profit des élèves de l'école. Cela ne ressemblait en rien aux uniformes réglementaires, et avec un pull des bonnes œuvres on avait l'air d'un *mzunga*. Mais personne n'opposait jamais de résistance à la directrice. Mme Chintu n'allait pas oublier ce qu'elle avait dit à Binti, et ne manquerait pas de vérifier qu'elle avait bien obéi.

— Oui, madame, dit Binti.

St Peter's était l'une des meilleures écoles de filles de Blantyre. C'était une très ancienne école, qui avait été, à l'origine, construite par des membres de l'Église presbytérienne venus d'Écosse. Durant des décennies, les directrices avaient été des Blanches. Leurs portraits étaient accrochés dans le préau d'entrée, elles avaient toutes l'air sévère et austère. St Peter's était une école privée, ce qui signifiait que le père de Binti devait non seulement payer les droits d'inscription mais aussi les uniformes et les livres. Mais il n'aurait pas laissé Binti et Junie fréquenter cette école si elles n'avaient pas été des élèves brillantes. Kwasi allait, lui, à St Mark's, une école privée pour garçons.

St Peter's se composait de deux ensembles, l'école primaire qui allait jusqu'à la huitième classe, et l'école secondaire, qui allait jusqu'à la terminale. « Nous avons de la chance que vous ayez été acceptées à St Peter's, disait souvent leur père, sinon il aurait fallu envoyer Junie loin d'ici pour ses études. » Bien souvent, Binti se disait qu'elle aurait bien aimé que cela se soit passé ainsi. La plupart des écoles secondaires au Malawi étaient des pensionnats, parce que très peu d'élèves y étaient admis et qu'ils venaient de loin. Mais si Junie était envoyée là-bas, cela voulait dire qu'un jour ce serait aussi le tour de Binti, et cela ne lui disait rien du tout. Elle était finalement plutôt contente de la façon dont les choses se passaient.

Binti était heureuse d'être élève à St Peter's. Cela lui faisait plaisir que les gens la voient en uniforme, presque autant que lorsqu'ils la voyaient avec son scénario de Story Time à la main.

Les journées à St Peter's commençaient toutes par une réunion plénière. À chaque fois, on entonnait d'abord un cantique et on récitait une prière, et à la fin on chantait l'hymne de l'école. Entre les deux, il se passait tout un tas de choses, comme les annonces qu'on faisait en public. Si, par exemple, un élève avait rédigé une très bonne dissertation ou avait accompli de gros progrès en maths, on le faisait monter sur l'estrade et il était applaudi par tout le monde. Parfois, la chorale chantait une nouvelle chanson, ou bien c'était un élève apprenti musicien qui venait jouer un morceau. Une fois par semaine, les chefs des préfets faisaient un rapport sur la conduite des élèves.

Ce jour-là, les membres du club anti-sida jouèrent un sketch qu'ils avaient écrit et qui racontait l'histoire d'une fille qui préfère passer du temps avec son petit ami plutôt que d'étudier. La fille laissait tomber l'école et finissait par se faire contaminer par le sida. À la fin de la pièce, les acteurs se présentèrent face au public et entonnèrent à l'unisson : « Vive l'abstinence ! Non au sida ! » C'était un beau sketch, qui remporta un grand succès. Binti applaudit avec enthousiasme. Elle en oublia un peu qu'elle avait froid.

Après quoi, la responsable des préfets fit part d'informations concernant les réunions des clubs de l'école et d'autres activités qui s'y déroulaient, puis Binti présenta le rapport des préfets pour les petites classes.

— La chef des préfets des petites classes est absente, elle a la malaria. Elle m'a demandé de vous transmettre son rapport.

Binti aimait bien entendre le son de sa voix qui traversait le hall. Elle espérait que tout le monde se rendrait compte qu'elle savait bien parler dans le micro. Peut-être qu'on lui demanderait de présenter le rapport même quand la chef des préfets serait là.

Elle lut les notes qu'on lui avait laissées.

— Il y a eu trop de bruit dans le couloir des petites classes, l'autre jour. Des professeurs se plaignent de ce que les élèves parlent dans les couloirs quand ils font leurs cours. Cela doit cesser.

Binti marqua une pause, voulant donner à son message ce que la directrice appelait un « bel effet ».

— Et on a encore trouvé des papiers de bonbons dans la cour. Si cela continue, on n'aura plus le droit d'apporter des bonbons à l'école.

Enfin, elle demanda expressément aux élèves de ne plus courir dans les couloirs, puis elle regagna sa place.

— Pourquoi t'es-tu arrêtée de lire, à un moment ? lui demanda la responsable des préfets à voix basse. Tu ne savais plus où tu en étais ? Tu n'auras qu'à suivre ton texte avec ton doigt, la prochaine fois. Là, tu avais l'air complètement perdue.

Binti eut envie de disparaître à dix pieds sous terre.

Alors qu'elle traversait le hall après l'assemblée, elle entendit Glynnis, l'une de ses camarades, dire d'une voix un peu moqueuse :

— Oh zut ! j'ai fait tomber un papier de bonbon ! Quelle horreur, mais c'est un crime !

Binti ne put s'empêcher de se retourner vivement ; les filles derrière elle étaient tout sourire. Elle reprit son chemin et les entendit rire à nouveau.

— Elle se croit géniale parce qu'elle parle à la radio, dit Glynnis. Moi aussi, je pourrais y aller. Et je serais bien meilleure qu'elle.

Binti, cette fois, fit comme si elle n'avait rien entendu, mais intérieurement elle paniquait. Il était impossible, n'est-ce pas, qu'une fille aussi ordinaire que Glynnis puisse faire ce que faisait Binti ? Binti se sentit parcourue d'un frisson d'aigreur – puis elle se détendit. Glynnis lisait mal, et il fallait savoir très bien lire pour participer à une émission de radio. Jamais elle ne pourrait y arriver.

Parfois, le producteur avait besoin d'autres enfants, mais Binti se gardait bien de le faire savoir dans son école. C'était sa chose à elle, l'émission de radio, et elle n'avait aucune envie de la partager avec quiconque.

Elle fit un rapide détour par le casier à vêtements du bureau, puis se hâta d'entrer en classe.

4

— Où est ton père ?

Quand Binti entra dans le magasin de cercueils ce jour-là, après l'école, ce fut pour se trouver nez à nez avec des clients furieux qui faisaient le pied de grue.

— Je ne sais pas, répondit-elle. Il ne doit pas être bien loin. Est-ce que je peux vous aider ?

— Nous sommes venus hier pour passer commande d'un cercueil. Il nous le faut tout de suite. L'enterrement a lieu cet après-midi.

Binti savait où son père rangeait ses livres de commande.

— C'est à quel nom, s'il vous plaît ?

— C'est déjà payé, ajouta l'homme après avoir donné son nom.

Binti retrouva la commande : une croix dans la colonne indiquait que le cercueil était prêt.

— Il est là, tenez, dit-elle en conduisant les clients vers un empilement de cercueils rangés dans un coin de l'entrepôt.

Elle vérifia les références, identifia celui que les gens étaient venus chercher et les laissa l'emporter.

Elle les regarda s'éloigner puis retourna dans la petite maison pour voir si son père s'y trouvait.

Il était là. Sur son lit, endormi. Binti étendit une couverture sur lui et ferma la porte de sa chambre. Puis elle se débarrassa de son uniforme d'écolière et enfila sa vieille jupe, sa vieille chemise et son vieux pull. Elle fit chauffer la bouilloire, espérant que, lorsque l'eau serait chaude, son père serait réveillé. Elle nettoya sa blouse d'écolière pour qu'elle soit propre et fraîche pour le lendemain. Mme Chintu était capable de repérer une tache sur une blouse de l'autre extrémité du hall d'entrée.

Quand l'eau fut bouillante, son père dormait toujours : Binti se fit une tasse de thé pour elle et l'emporta dans le magasin. Elle la posa dans un coin pour la laisser refroidir. Elle venait à peine de prendre le balai pour faire le ménage que de nouveaux clients entrèrent. Binti avait déjà sorti du stock deux autres cercueils et encaissé l'argent des deux clients, quand Kwasi arriva de l'école.

— Où est Bambo ? demanda-t-il.

— Il dort.

— En pleine journée ? Il est encore malade ?

— Il dormait quand je suis rentrée. Il est tout simplement fatigué, je pense.

Kwasi saisit la tasse de thé que Binti avait posée plus loin et but une gorgée.

— Il est froid.

— C'est ma tasse, dit Binti. Je l'avais oubliée.

Ce qui n'empêcha pas Kwasi de boire ce qui restait. Le jeune garçon entra dans la maison pour aller se changer. Binti reprit le ménage du magasin. Même si Junie ne passait ses examens de fin d'études que dans plusieurs mois, elle restait tard à l'école pour y suivre des cours supplémentaires et réviser. Mais elle n'allait pas tarder à rentrer, et elle saurait faire se lever Bambo.

Binti refit du thé et Kwasi sortit dans la rue acheter aux marchands ambulants des œufs durs et des frites pour le dîner. À son retour, Junie était là.

Elle dévisagea fixement Binti et Kwasi pour on ne sait quelle raison, puis posa brusquement ses livres sur la table et entra dans la chambre voir leur père.

— Prépare-moi du thé glacé, dit-elle par-dessus son épaule.

Kwasi alluma le poêle à essence et posa la bouilloire dessus.

— Sa fièvre monte, dit Junie en revenant dans la cuisine.

Elle montra à Kwasi comment mouiller le front de son père avec un linge frais pour essayer de faire baisser la température.

— Il faut qu'on le fasse boire le plus possible.

— Et les médicaments ? demanda Binti.

— Il en reste de la dernière fois où il était malade, répondit Junie.

Elle prit une chaise et s'assit, la tête dans les mains. Quand elle se redressa, prête à hurler des ordres à nouveau, Binti remarqua l'expression de peur sur son visage – et elle n'osa pas protester.

Ils étaient tous calmement occupés à faire leurs devoirs quand le silence fut interrompu par leur père qui toussait dans la pièce voisine. De temps en temps, l'un d'eux allait lui faire boire un peu de thé.

— Ça faisait longtemps que Bambo n'avait pas été malade, dit Binti, qui n'arrivait pas à se concentrer sur son exercice d'arithmétique. Depuis Pâques.

— Mais si, il a été malade, rétorqua Junie.

Elle avait renoncé à faire semblant d'apprendre sa chimie et était en train de griffonner des croquis pour sa robe de mariée, l'air absent. Depuis deux ans, elle passait son temps à dessiner des robes de mariée. Le dernier modèle avait un col haut et les longues manches que Junie adorait, avec une sorte de collerette tout autour.

— Il ne s'est pas arrêté de travailler, c'est tout.

— Je veux dire, qu'il n'a pas été malade *comme ça* depuis Pâques.

— Mais qu'est-ce que tu en sais ? aboya Junie. Tu passes tes journées entières à penser à ton émission de radio. Tu te crois tellement importante ? !

Kwasi referma brusquement son livre d'anglais et sortit. Il détestait se trouver au milieu d'une dispute. Binti le regarda partir, elle l'enviait de savoir retenir sa langue comme il le faisait. Elle avait beau vouloir se taire, sa langue à elle bougeait toute seule.

— Et toi, tout ce que tu as en tête, c'est ton mariage à la noix. Ça devient de plus en plus ridicule à chaque fois que tu en parles. Pas étonnant que papa soit malade, à force de travailler tout le temps, pour te payer tes noces.

— Si tu veux savoir, Mademoiselle la Vedette des Ondes, j'ai l'intention de travailler après mes examens pour me payer mon mariage moi-même. C'est Noël et moi qui allons tout payer. C'est comme ça qu'on fait, quand on est moderne, en particulier quand les parents sont envahis d'une horde d'enfants incapables, qui sont de vrais fardeaux.

— Incapables ? Mais je gagne ma vie, et je n'ai que treize ans.

— Moi, à treize ans, ça faisait déjà trois ans que je m'occupais de toi et de Kwasi, et de la maison.

Le ton avait monté, et les poings cognaient sur la table. Binti ne savait plus ce qu'elle disait, et pourquoi sa sœur et elle se disputaient. La seule chose qui réussit à les faire taire fut l'apparition de leur père dans l'encadrement de la porte d'entrée.

— J'ai affreusement mal à la tête, dit-il d'une voix douce.

Binti s'arrêta en plein milieu d'une phrase. Son père avait l'air d'un fantôme gris, recroquevillé sur lui-même.

— Je vais aller te chercher des comprimés, dit Junie.

Binti aida son père à se remettre au lit. Sa peau était brûlante et il tremblait de tous ses membres. Elle attrapa une seconde couverture et l'en recouvrit, puis resta debout près du lit, ne sachant trop que faire.

— Sors d'ici, lui dit Junie en entrant dans la chambre munie des comprimés contre le mal de tête et d'un verre d'eau.

Binti sortit et alla dans la cour. Elle savait qu'elle y trouverait Kwasi. Il était d'un abord nettement plus facile que Junie.

Le garçon était en train de peindre un cercueil. On pouvait lire encore des signes d'inquiétude sur son visage, mais peu à peu ils laissaient place à la rêverie, c'était toujours ainsi quand il se consacrait à son art.

La plupart des cercueils que vendait leur père étaient en bois nu. « Nos clients ne sont pas riches, avait coutume de dire Bambo, mais ce sont des gens bien qui méritent le mieux qu'on puisse leur donner. » Même ces cercueils étaient polis de manière que le bois soit lisse et doux au toucher. Quand il lui restait du temps en dehors des commandes, Bambo fabriquait des cercueils pour le stock, de différentes tailles. Parfois, les gens n'avaient pas le temps de passer commande, il leur fallait un cercueil immédiatement. Il y en avait toujours de disponibles, dans le petit entrepôt des Portes du Paradis. « Nous voulons que les gens sachent qu'ils peuvent venir chez nous à n'importe quel moment et que nous aurons ce qu'il leur faut. Ils reviendront chez nous et ensuite ils en parleront à d'autres. »

C'était l'un de ces cercueils que Kwasi était en train de peindre. En payant un petit peu plus, le client pouvait choisir un cercueil bleu ou vert. Pour un peu plus encore, on leur en proposait avec des oiseaux peints sur les côtés, la spécialité de Kwasi.

Binti ne savait pas dessiner ni fabriquer quoi que

ce soit d'exceptionnel, mais elle savait peindre. Elle prit un pinceau, ouvrit un bidon de peinture bleue et plaça sur la table l'un des petits cercueils pour enfant.

— Attends, dit son frère.

Il sortit un crayon de sa poche et dessina un petit oiseau sur le fond du cercueil.

— Maintenant, tu peux y aller.

— Pourquoi est-ce que tu dessines toujours un oiseau dans le fond ? Je vais peindre par-dessus.

— L'oiseau aidera le bébé à voler plus vite jusqu'au ciel, expliqua Kwasi.

Binti plongea son pinceau dans la peinture et étendit la couleur sur le bois avec des mouvements de brosse lents et souples. Elle pensait au bébé qu'on déposerait doucement dans le cercueil, chaudement enveloppé pour affronter le froid du tombeau. Elle s'imaginait des oiseaux soulevant l'enfant dans les airs et s'envolant avec lui par-dessus les arbres, dans le bleu du ciel, un bleu plus bleu que la peinture qu'elle était en train d'étaler sur le bois.

Binti et son frère peignaient l'un à côté de l'autre. De temps en temps, le son de la toux de leur père venait se mêler au frottement des pinceaux sur le bois, puis cela cessait et tout redevenait silencieux.

5

— Mesdames et messieurs, je vais maintenant vous présenter les acteurs de *Gogo et sa famille* !

Binti se tenait dans les coulisses avec les autres membres de l'équipe. Elle attendait d'être appelée par M. Wajiru. Son cœur battait la chamade.

Le restaurant du Meridian Mount Soche Hotel avait été transformé en studio de radio pour la soirée.

— C'est une occasion toute particulière, avait annoncé M. Wajiru à l'équipe lors de la réunion d'organisation de cette soirée. Story Time est sur les ondes depuis six mois : c'est un bon prétexte pour faire une fête. On se fera tous très chics. Nous représentons la culture du Malawi. Je veux que nous soyons habillés en Malawiens.

Binti ne voyait pas M. Wajiru qui était devant elle sur la scène, mais elle savait que le directeur était vêtu de jaune et de bleu, avec une chemise orange. Tous les membres de l'équipe portaient des vêtements africains. Binti avait mis une robe en *chintje*, le tissu du pays fait d'un imprimé lustré. Et, dans le public, ils étaient nombreux à être vêtus d'habits traditionnels. Binti se dit que cela faisait comme des fleurs de toutes les couleurs, très gaies. Il y avait beaucoup de gens importants dans le public.

— Certains sont nos financiers, expliqua M. Wajiru, et d'autres sont des gens qui veulent nous financer.

Des diplomates étrangers étaient même venus tout spécialement de la capitale du pays, Lilongwe. Et, comble de bonheur pour Binti, sa famille était présente.

— C'est à ton père que tu parlais, tout à l'heure ? chuchota Stewart.

Il était debout à côté de Binti, attendant qu'on l'appelle.

— Oui, répondit Binti sur le même ton. Chuuuut.

— Slim est venu lui rendre visite, dit Stewart.

Slim était le nom que souvent les gens donnaient au sida.

— Il était venu voir mon oncle et il ressemblait exactement à ça.

Binti lui laboura la poitrine de coups de poing.

— Tais-toi, espèce de mule !

— Hé ! protesta Stewart.

Sa voix aurait pu être entendue du public si elle n'avait pas été dominée par celle de M. Wajiru qui parlait dans le micro.

La femme qui jouait Gogo tira fermement Binti par le bras.

— Tiens-toi tranquille, dit-elle. Tu montes sur scène dans deux minutes. Tu veux que le public te voie dans cet état ?

Non, Binti n'en avait aucune envie. Elle respira profondément une ou deux fois, comme on lui avait appris à le faire à Story Time.

Le directeur présenta d'abord les membres de l'équipe qui jouaient de petits rôles, ou qui ne jouaient qu'épisodiquement. Stewart était de ceux-là. Puis ce fut le tour des rôles plus importants. Binti s'attendait à faire partie de ce groupe, mais d'autres furent appelés avant elle. Bientôt, il ne resta plus dans les coulisses qu'elle et la femme qui jouait Gogo.

— Et dans le rôle de la jeune Kettie, voici Binti Phiri !

Les applaudissements redoublèrent soudain de vigueur. Binti courut vers la scène. (« Fais comme si tu étais montée sur ressorts », lui avait dit le directeur lors de la répétition.) Elle salua le public. Elle vit sa famille assise à l'une des tables. Ils applaudissaient à tout rompre, eux aussi. Son père n'aurait pas pu applaudir ainsi, s'il avait eu le sida, n'est-ce pas ? Stewart était une mule, point final.

Les applaudissements les plus chaleureux furent, bien sûr, réservés à Gogo. La femme qui tenait le rôle de la grand-mère rejoignit les autres membres de l'équipe sur la scène. Tous en ligne et se tenant par la main, ils saluèrent le public rapidement d'un même mouvement avant de regagner leur place.

— Nous allons enregistrer, comme en studio, leur avait dit le directeur, alors si vous dites une bêtise, pas d'inquiétude. On fera un montage avant que l'émission soit diffusée.

Binti était bien décidée à ne pas dire une seule bêtise, devant tous ces gens, et surtout devant Stewart.

On entendit le générique. Le directeur avait fait les présentations en anglais, mais l'émission était, comme toujours, en chichewa, la langue la plus fréquemment parlée au Malawi. C'était quelque chose de nouveau pour tout le monde, de jouer en direct devant tant de gens, loin du studio où l'on se sentait protégé. La plupart des membres de l'équipe firent des erreurs dans leur texte. Ils trébuchaient sur un mot ou ils oubliaient de donner la réplique.

Binti espérait que le public allait remarquer qu'*elle*, elle ne faisait aucune erreur. Peut-être y avait-il un spectateur qui pourrait un jour lui proposer un travail encore plus important à la radio ou, pourquoi pas, à la télévision.

Elle était tellement prise par l'idée qu'elle pourrait devenir célèbre qu'elle en rata sa réplique. Elle interrompit ses rêveries, se concentra... et ne se trompa plus.

— Vous vous souvenez de ma famille, M. Wajiru ?

Lors du dîner qu'on leur avait offert après l'enregistrement, le directeur vint à la table de Binti pour les saluer.

— Mais bien sûr. Enchanté, M. Phiri, répondit-il en serrant la main de Bambo, et je me souviens aussi de Junie et de Kwasi. Kwasi, la peinture que tu m'as donnée est chaque jour un peu plus belle.

Kwasi, trop intimidé pour répondre, souriait de son sourire de travers, les yeux rivés sur son assiette.

M. Wajiru tira une chaise et s'installa entre Binti

et son père. À côté du directeur, un homme en pleine santé, débordant de vie, Bambo avait l'air plus maigre que jamais.

— J'ai une surprise pour toi, dit-il à Binti.

Il glissa vers elle un exemplaire de *Youth Times*.

— L'interview que tu as donnée paraît ce mois-ci. Page 5. J'espère que vous donnez des tas de corvées à faire à Binti à la maison, pour qu'elle ne prenne pas la grosse tête, ajouta-t-il à l'intention de Bambo.

— Trop tard, répliqua Junie.

Binti lui adressa un regard furieux, mais tout le monde riait.

— Ne vous inquiétez pas, dit son père. Ils travaillent tous très dur pour moi.

Binti ouvrit le journal. On y voyait une photo d'elle, debout près du micro, prenant la pose comme lorsqu'elle lisait son script. Elle avait l'air d'une vraie actrice professionnelle, un personnage important, on aurait dit une star de la musique ou le Premier ministre.

— Combien de personnes lisent ce journal ? demanda-t-elle.

— Tu es très bien, sur cette photo, dit Bambo. On lira l'article plus tard. Il fait trop sombre ici pour le lire maintenant.

— Moi, je l'ai lu, dit M. Wajiru. La fille a fait du

bon travail. C'est sensationnel, il y a de plus en plus de jeunes journalistes formidables au Malawi.

Les adultes se mirent à parler football, et Binti s'intéressa à ce qu'elle avait dans son assiette. La vie à la maison n'était pas mal, mais si elle avait pu vivre tous les jours comme maintenant ! Ce devait être la gloire, ni plus ni moins ! Binti se sentait si heureuse qu'elle voulait que tout le monde le soit aussi.

— C'est ta nouvelle robe ? demanda-t-elle à Junie. Elle te va super bien.

Binti avait vu sa sœur fabriquer sa robe en assemblant des morceaux de plusieurs vêtements immondes qu'elle avait trouvés dans les caisses des puciers de la rue.

Junie sursauta en entendant ce compliment inhabituel de la part de sa sœur. Binti se remit à manger, mais du coin de l'œil elle voyait sa sœur l'examiner dans le reflet du miroir accroché au mur. Junie remit son col en place et sourit.

Après le football, ce fut le tour de la politique puis, au bout de quelques minutes, M. Wajiru se leva et serra les mains de tout le monde.

— Puis-je dire deux mots à Binti ? J'en ai pour une seconde, demanda-t-il à Bambo.

— Mais je vous en prie.

Binti suivit le directeur un peu plus loin dans la pièce. Il se pencha vers elle et lui dit :

61

— Binti, rentre à la maison avec ton père.

Binti ne comprenait pas où il voulait en venir.

— Il est très malade, expliqua le directeur. Ramène-le à la maison.

Binti ne voulait pas quitter la fête trop tôt. Elle ne voulait pas donner raison à Stewart.

— Il était malade, mais là il va mieux. Il dit qu'il va mieux.

— Il dit ça pour ne pas gâcher ta soirée. C'est très gentil de sa part. Maintenant, c'est à toi de faire quelque chose de gentil : rentre avec lui à la maison. Il refusera, mais il faut que tu lui dises que c'est ce que tu veux. Tu peux faire ce que tu as envie, non ?

Comment dire non à M. Wajiru ?

— D'accord.

— Je savais que tu étais une fille raisonnable, dit-il.

Et Binti à présent savait qu'elle allait devoir convaincre son père.

— Bambo, je suis épuisée. On rentre ?

Il lui fallut s'y reprendre à plusieurs reprises, mais elle parvint à le persuader. M. Wajiru lui adressa un petit signe de la main quand il les vit monter dans le taxi. Bambo semblait encore plus recroquevillé qu'à l'aller. Il fallut que Kwasi et Junie le soutiennent pour les quelques pas qui séparaient la voiture de la maison. Il alla directement se coucher.

Binti et ses frère et sœur ôtèrent leurs vêtements de fête. Binti fit du thé, qu'ils burent tous ensemble assis à la table de la cuisine.

— Toi et ta fête à la noix, dit Junie. Tu l'as complètement exténué, en lui demandant d'y aller.

— La ferme, objecta Kwasi. Il n'était pas question qu'il n'y aille pas. Ce n'est pas la faute de Binti.

— Vous deux, vous êtes toujours complices.

Junie partit avec sa tasse de thé dans la petite chambre qu'elle partageait avec Binti. Kwasi prit la sienne et alla s'installer sur son lit. Binti resta seule à la table.

Elle prit l'exemplaire de *Youth Times* et l'ouvrit à la page de son interview. Elle effleura doucement la photo du doigt. Le calme était revenu dans la maison ; on n'entendait que la pénible respiration de son père.

6

Le lendemain, le père de Binti ne se sentait pas mieux. Ni le jour suivant. Quand les enfants se rendirent seuls à l'église et dirent aux fidèles que leur père était malade, quelques dames vinrent apporter de quoi manger à la famille et rendirent visite à Bambo. Le pasteur passa une soirée avec lui. Mais les malades étaient nombreux, dans la paroisse. Le pasteur lui-même ainsi que les dames d'œuvre avaient des proches touchés par la maladie. Ils ne pouvaient pas venir en aide aux enfants.

Tour à tour, chacun d'eux resta à la maison pour s'occuper de Bambo et du magasin. Le stock de cercueils diminuait à vue d'œil. Kwasi essayait d'en fabriquer d'autres, mais tout ce qu'il parvenait à faire c'était de gâcher du bois. Binti réussit à construire un cercueil pour bébé, mais il était bancal et les joints n'étaient pas assez serrés. Il se brisa quand elle le transporta de l'établi à l'entrepôt. Ce que leur père réalisait avec une grande aisance était encore bien trop difficile pour Binti et son frère.

De nouveaux clients entraient dans la boutique et repartaient les mains vides. Cela ne les troublait pas particulièrement. Il y avait d'autres magasins de cercueils à Blantyre, ils avaient le choix. Binti en voulait à M. Tsaka. Elle s'imaginait qu'il allait s'enrichir en prenant les clients de son père.

Mais, finalement, ce fut M. Tsaka qui leur vint en aide.

— Mes clients m'ont dit que ton père était malade, dit-il à Binti dont c'était le tour de rester à la maison. Je peux le voir ?

Binti était trop fatiguée pour protester. Elle le conduisit à la chambre de son père.

M. Tsaka le salua avec beaucoup de respect, comme si Bambo était debout à son établi comme d'habitude. Celui-ci répondit du mieux qu'il put, mais il était extrêmement faible.

— Mais vous vous rendez compte à quel point il est malade ? demanda M. Tsaka à Binti, une fois qu'ils furent revenus dans la cour de l'entrepôt. Pourquoi est-ce qu'il n'est pas hospitalisé ?

Il baissa la voix quand il vit l'expression de panique sur le visage de Binti.

— Ta famille a ce qu'il faut pour payer une clinique privée ?

Elle secoua la tête.

— Tout l'argent est parti chez les cousins.

— Si seulement j'avais de quoi payer l'hôpital à ton père, dit M. Tsaka. J'aime beaucoup ton père. C'est un homme bien, un commerçant honnête. Mais tout ce que j'ai va à ma boutique. Il va falloir que ton père aille à l'hôpital public.

— Je ne sais pas comment m'y prendre.

Binti sentait les larmes lui monter aux yeux.

— Je vais t'y emmener. Prends des couvertures et ce dont ton père aura besoin. Prends-en pour toi aussi. Laisse un message à ton frère et ta sœur. Je reviens tout de suite.

Binti fit ce qu'il avait dit. Les couvertures, c'était facile. Mais de quoi d'autre son père aurait-il besoin ? Il restait des comprimés pour le mal de tête : elle les prit également.

— Prépare-lui des vêtements propres, dit M. Tsaka quand il revint.

Il se pencha vers son père pour lui dire deux mots. Il parlait d'une voix douce et posée. Il maintenait Bambo en position assise, de manière à ce que Binti puisse l'envelopper dans les couvertures.

— Tu as aussi des affaires pour toi ? demanda-t-il.

— Comment ça ?

— Tu vas devoir rester à l'hôpital et t'occuper de ton père. Ils n'ont pas assez d'infirmières. Prends une couverture pour toi et ce dont tu peux avoir besoin. Et tes livres de classe, aussi. Ton père ne voudrait pas que tu te mettes en retard dans tes leçons.

Binti roula la couverture qui était sur son lit pour qu'elle soit plus facile à emporter. Elle alla chercher son cartable et y mit aussi le script de « Gogo et sa famille ». Elle ne voyait pas trop quoi prendre d'autre.

M. Tsaka lui dit de déposer les couvertures dans le fond de sa camionnette.

— Monte d'abord, comme ça tu pourras lui soutenir la tête, lui conseilla-t-il.

Bambo, dans la couverture, ressemblait à un paquet d'os. M. Tsaka le portait avec tendresse, comme le petit garçon avec son petit chien.

Binti grimpa dans la camionnette et s'assit le dos à la portière. M. Tsaka hissa Bambo dans le véhicule et le déposa tout doucement sur les couvertures. Binti installa sa tête sur ses genoux. M. Tsaka prit le volant et démarra. À certains endroits, la route était défoncée. Binti essayait de protéger son père des secousses.

L'hôpital était situé de l'autre côté de la ville. Le trajet fut long. Ils passèrent devant le bâtiment où se trouvait Story Time. Binti allongea le cou pour regarder, mais personne n'était là pour la voir passer.

M. Tsaka dut garer son camion à l'arrière de l'hôpital.

— Dépêchez-vous ! le pressa Binti tandis qu'il transportait son père dans l'entrée du bâtiment principal.

Des gens faisaient la queue dans le hall, assis par terre.

— Vous n'allez pas passer devant tout le monde, dit un homme qui tenait par la main une femme aux yeux fermés. Ça fait longtemps qu'on attend, nous.

— Mais c'est mon père, il est malade, protesta Binti.

— Moi, c'est ma femme. Elle est malade, elle aussi.

L'homme chassa une mouche qui venait de se poser sur le visage de son épouse.

Ils prirent place derrière tout le monde. M. Tsaka déposa doucement Bambo par terre, sa tête sur les genoux de Binti.

— Je ne peux pas rester, dit-il. J'attends des clients et il n'y a pas moyen de leur dire de revenir plus tard.

Binti comprenait, mais cela lui fit mal de le voir partir.

— Il n'y a pas assez d'infirmières, dit une femme assise à côté de Binti.

Elle portait un bébé en kangourou dans un fichu de *chintje*. Une femme plus jeune assise à ses côtés ne cessait de s'effondrer, de se relever pour s'effondrer encore.

Les gens ne disaient pas grand-chose. D'autres malades entraient, et une deuxième file d'attente se forma à côté de Binti. Parfois des gens en bonne santé entraient dans le hall, ils marchaient vite, ils tenaient debout, ils avaient l'air important. À un moment, trois personnes sortirent d'un pas lent, appuyées les uns sur les autres. Binti entendit qu'on pleurait, du côté du parking.

— Ma fille est séropositive, dit la femme assise à côté de Binti. C'est son sang. Je veux que les docteurs lui enlèvent son sang abîmé et lui en donnent un nouveau.

Binti regarda plus attentivement la fille. Bambo était loin d'avoir l'air aussi mal en point. Stewart n'y connaissait rien.

Enfin, une infirmière arriva. Elle parcourut la file

d'attente, inscrivant les noms des patients et examinant leur état. Quand elle arriva à la hauteur du père de Binti, elle ne tarda pas à prendre sa décision.

— Est-ce qu'on pourrait m'aider à porter ce monsieur dans la salle d'examen ?

Deux hommes se levèrent. Binti voyait qu'ils étaient malades, mais pas autant que son père. Ils firent mettre Bambo sur ses pieds et suivirent l'infirmière. Binti rassembla leurs affaires et marcha derrière eux.

On déposa son père sur l'un des lits de camp. Binti resta debout à côté de lui et garda sa main dans la sienne. Le médecin termina l'examen des autres patients, puis s'approcha.

— Il est très mal en point, dit-elle. (Elle posa sa main sur l'épaule de Binti.) Va donc attendre dans le hall d'entrée pendant que je l'examine.

— Mais il n'a pas le sida, protesta Binti. C'est autre chose. On a dit qu'il avait le sida mais je suis sûre que non, ce n'est même pas la peine que vous vérifiiez.

— Tu es sûre ? répondit le médecin tout en se lavant les mains. Quatre-vingts pour cent des gens qui viennent dans cet hôpital ont le sida – tu es sûre que ton père fait exception ?

Elle plaça un tensiomètre autour du bras tout maigre de Bambo.

— Trente pour cent des habitants de nos villes sont séropositifs, presque la moitié des fonctionnaires du Malawi sont séropositifs, et il y a plus d'assistantes sociales et de professeurs qui meurent du sida que de gens qui pourraient les remplacer.

La femme regarda Binti, poussa un soupir et cessa là son discours.

— On va faire passer le test du sida à ton père, dit-elle, mais cette fois elle parlait d'une voix douce. Nous faisons cela avec tous les patients qui viennent ici. S'il est touché par le virus, nous ne pourrons pas le guérir, mais nous pouvons lui donner des médicaments qui le soulageront. S'il te plaît, va attendre dans le hall d'entrée. Tout ira bien.

Binti se demandait comment le médecin pouvait dire que tout irait bien. Elle resta debout dans l'entrée, le dos appuyé au mur. Elle savait que les autres malades qui faisaient la queue la regardaient. Sans doute espéraient-ils que le médecin allait se dépêcher et en finir vite avec son père pour pouvoir s'occuper d'eux. Binti gardait les yeux fixés sur la pointe de ses chaussures.

— Tu peux revenir, appela le médecin.

Elle tendit à Binti un flacon de comprimés.

— Ton père a une pneumonie. Il faut que tu lui

donnes un comprimé toutes les six heures. Tu as quelqu'un, quelqu'un de plus âgé, qui doit te retrouver ici ?

— Mon frère et ma sœur vont arriver.

— Dis-leur ce que je viens de te dire. Si tu as besoin d'aide, il y a des femmes dans la salle qui s'occupent de leurs malades. Fais appel à elles. Nous n'avons pas assez d'infirmières.

— Alors, Bambo n'a pas le sida ?

C'est ce que Binti croyait avoir entendu.

— Il va aller mieux ?

— Nous saurons dans peu de temps s'il sera suffisamment fort pour lutter contre la pneumonie. Nous n'avons pas de médicament contre le sida, si c'est de ça qu'il souffre. Nous faisons passer le test à tout le monde, parce que nous avons besoin de savoir. Ces comprimés, c'est ce qui lui convient le mieux, pour l'instant.

Deux hommes, des hommes en bonne santé, employés de l'hôpital, firent sortir Bambo de la salle d'examen sur un chariot.

— Suis-les, dit le médecin. Ils vont trouver une place pour ton père.

L'hôpital public était constitué d'une série de bâtiments d'un étage réunis par de longs couloirs comme les rayons d'une roue de bicyclette. Ils parcoururent plusieurs salles avant d'en trouver une qui puisse accueillir son père.

— Il peut rester ici, dit une infirmière en uniforme blanc qui s'apprêtait à partir pour une autre salle.

Binti regarda autour d'elle. La salle comprenait quatre parties divisées par de petites cloisons, toutes remplies de lits placés les uns à côté des autres. Il y avait à peine d'espace entre les lits, et tous étaient occupés.

Elle se retourna pour demander à l'infirmière à quel endroit exactement son père devait s'installer, mais celle-ci était déjà partie.

— Viens par là, il y a de la place.

Une vieille femme habillée d'une jupe en *chintje* prit Binti par le bras et l'emmena de l'autre côté de la salle. Elle lui indiqua un endroit par terre entre deux lits. Quelqu'un posa un matelas en caoutchouc vert sur le béton. Les deux brancardiers abaissèrent le lit roulant et installèrent tout doucement Bambo sur le matelas.

— Il lui faut un oreiller, dit la femme. J'en ai un dont je ne me sers pas.

Elle alla le chercher et installa le père de Bambo plus confortablement.

— C'est ton père ?

Binti fit « oui » de la tête.

— Il n'a que toi ?

— J'ai un frère et une sœur plus âgés, répondit Binti, qui fut tout d'un coup prise de panique : J'ai oublié de leur laisser un mot ! Ils vont rentrer de l'école, ils verront qu'on est partis, et ils ne sauront pas où on est !

— Calme-toi, dit la femme. Parle doucement, ici les gens ont besoin de se reposer. Nous avons tous des raisons de crier et de hurler. Cela fait sans doute longtemps que ton père est malade. Tu n'as pas de quoi payer une clinique privée, sinon tu ne serais pas ici. Ils sauront où chercher, et ils te trouveront. Occupe-toi de ton père. Ils te rejoindront. Viens avec moi, je vais te montrer où tu pourras trouver ce dont tu as besoin. Je m'appelle Mme Nyika.

— Moi, c'est Binti.

Mme Nyika montra à Binti où se trouvaient les robinets d'eau dans la salle ainsi que les toilettes, juste en sortant. L'odeur était infecte.

— Tu peux laver ses affaires dehors et les étendre au soleil pour qu'elles sèchent, s'il le faut.

Elle désigna la fenêtre du doigt. Dehors, dans la cour, Binti aperçut des couvertures, des draps et des vêtements étalés sur le peu d'herbe qu'il y avait çà et là et sur les buissons. Des gens étaient assis ou allongés par terre. Le soleil brillait, mais ils se pelotonnaient pour se protéger du chiperoni.

— Les jours où il fera chaud, ton père aimera peut-être rester dehors au soleil. C'est quoi, son métier ?

— Il est fabricant de cercueils.

— Alors être dehors au grand air, ça le connaît.

Elles retournèrent auprès du lit.

— Avec qui est-ce que vous êtes, ici ? demanda Binti.

— Avec mon fils, répondit Mme Nyika. Le voici, c'est mon fils John.

John était allongé sur un vrai lit, de l'autre côté de la salle par rapport au père de Binti. Binti lui donnait quelques années de plus que Junie, mais pas beaucoup plus. C'était difficile à dire, il était si maigre. Elle lui serra la main. Elle eut l'impression d'avoir comme une herbe molle entre les doigts.

— Une de mes nièces est dans une autre salle, dit Mme Nyika. Elle vient de finir l'école d'infirmières, mais elle est en train de mourir. Tous les jeunes autour de moi sont en train de mourir. Les voies du Seigneur sont un mystère, mais nous devons avoir la foi et croire qu'Il sait ce qu'Il fait.

Binti était allée à l'église tous les dimanches depuis qu'elle était née. Elle n'était certaine que d'une seule chose : Dieu n'avait aucunement l'intention que son père meure. Il voulait qu'il s'en sorte, qu'il retourne travailler, et il pourrait être présent dans son atelier quand Binti serait à l'école, à polir une planche, et lui lancer à son retour un « Comment va ma petite fille célèbre, aujourd'hui ? ».

Elle laissa Mme Nyika remettre en place la couverture de son fils et fit de même avec celle de son père.

— Nous n'allons pas rester longtemps ici, lui dit-elle. Ils vont te soigner, tu vas aller mieux, et on rentrera à la maison.

Son père ouvrit les yeux.

— N'aie pas peur, dit-il. Tu es une bonne fille, et tout ce que tu fais est bien.

Et il referma les yeux. Ces quelques mots l'avaient épuisé.

Binti s'installa sur le matelas à côté de son père. Il n'y avait pas d'autre endroit où s'asseoir. De là où elle était, par terre, elle pouvait voir les pieds des gens quand ils passaient dans la salle.

Elle regarda, à côté d'elle, l'homme allongé sur le matelas. Une vieille femme était assise près de lui. Elle se retourna et croisa le regard de Binti : son visage n'était que fatigue.

— Quand est-ce que mon père aura un vrai lit ? lui demanda Binti.

— Quand quelqu'un ira mieux, ou quand quelqu'un mourra, répondit la femme, puis son regard se perdit à nouveau dans le vague.

Binti se rendit compte qu'un grand nombre de malades dormaient par terre. Elle compta ceux qui étaient installés dans de vrais lits. À moins que beaucoup de gens aillent mieux ou meurent, son père allait devoir rester sur son matelas par terre pendant un bon moment. Elle alla chercher de l'eau et donna son médicament à Bambo.

— Tu auras envie de lui en donner plus que ce que le docteur t'a dit de lui donner, l'avait prévenue Mme Nyika, mais ça ne marche pas comme ça. Donne-lui juste la dose qu'on t'a dite.

Binti avait promis. Elle resta près de son père, s'assoupissant de temps en temps durant l'après-midi en attendant que le médicament fasse de l'effet.

— Mais tu l'écrases ! hurla une voix suraiguë.

Binti fut réveillée en sursaut. Junie était debout au pied du matelas de son père, les poings sur les hanches. Kwasi était à ses côtés mais il n'avait pas l'air en colère. Seulement triste. Binti se leva et s'éloigna du matelas en trébuchant. Junie prit sa place. Ses paroles avaient réveillé leur père. Il parla d'une voix douce avec sa fille aînée.

— Tu vas bien ? demanda Kwasi à Binti.

Binti fit signe que oui.

— Comment est-ce que vous avez su qu'on était ici ? demanda-t-elle, mais elle n'eut même pas besoin d'attendre la réponse.

Elle vit M. Tsaka à l'autre bout de la salle en train de parler avec un patient.

Junie se leva et fit signe à Kwasi d'aller faire la conversation à son père.

— Qu'est-ce que le médecin a dit ? demanda-t-elle à Binti.

— Bambo a une pneumonie, répondit-elle. Ils lui ont fait le test du sida, mais ils ne savent pas encore le résultat. Je ne sais pas s'ils nous le diront, s'il l'a.

— Comment est-ce qu'ils le soignent ? Ils lui donnent des médicaments ?

Binti sortit le flacon de comprimés de la poche de sa veste.

— Il est censé en prendre un toutes les six heures.

— Et le dernier, quand est-ce qu'il l'a pris ?

Binti se mit à pleurer.

— Je ne sais pas ! Je ne sais pas quelle heure il est !

Junie secoua la tête, prit les comprimés et alla chercher de l'eau.

— Binti, viens voir ici, dit son père.

Elle s'assit à côté de Kwasi.

— Demain, tu enregistres ton émission. Je veux que tu rentres à la maison avec Junie ce soir et que tu passes une bonne nuit à dormir. Reviens me voir demain après l'émission et tu me raconteras tout.

— Je ne veux pas te laisser.

— Kwasi va rester avec moi, cette nuit, dit son père. Je serai encore ici demain. Fais ce que je te dis. Laisse-moi, il faut que je parle à ta sœur, maintenant.

Junie avait préparé le comprimé. Binti regarda Kwasi qui maintenait son père assis pour qu'il puisse l'avaler facilement.

Ils restèrent encore un peu, puis se dirent bonne nuit.

— Je te verrai demain, ma petite fille célèbre, dit-il. Apporte ton script, tu me le liras.

Binti jeta un regard en arrière tandis que Junie, M. Tsaka et elle quittaient la salle, mais son père était par terre et elle ne put le voir.

M. Wajiru ne fut pas surpris d'apprendre que Bambo était hospitalisé.

— Il t'a dit de venir à l'enregistrement demain, alors il veut que tu le fasses correctement. Ne le déçois pas. Mets ton inquiétude dans ta poche et ton mouchoir par-dessus, et fais du mieux que tu peux.

Alors que la première répétition allait commencer, M. Wajiru s'adressa à toute l'équipe.

— Le père de Binti est à l'hôpital, et elle se fait beaucoup de soucis pour lui. Ça nous fait plaisir qu'elle soit venue travailler avec nous aujourd'hui. Nous avons tous des difficultés auxquelles nous devons faire face dans nos vies et ça nous arrive à tous de nous dire parfois que nous n'allons pas pouvoir réussir à faire ce qu'on nous demande. Il y a une expression du monde du spectacle, une vieille expression, qui dit *The show must go on*, « Le spectacle doit continuer. » Binti nous a montré exactement ce que cela voulait dire. Allez, maintenant, on commence.

Cela eut pour effet de calmer un peu Binti. Elle se sentait toujours un peu inquiète, mais elle fut capable de chasser ses soucis durant quelques minutes et de faire une bonne prestation. Junie avait passé toute la journée avec Kwasi à l'hôpital où elle s'était rendue en bus tôt dans la matinée. Ils avaient tous les deux l'air fatigué, quand Binti les rejoignit avec M. Tsaka.

— Où est-ce que tu as dormi ? demanda Binti à son frère.

— À côté de Bambo. C'était pas le super confort, mais j'étais plus heureux d'être ici avec lui qu'à la maison à me faire du souci. J'ai fait un dessin de lui, pendant qu'il dormait.

Il sortit une feuille de papier de la poche de son pantalon et la déplia.

— On dirait qu'il sourit, fit remarquer Binti.

— Il voit Mama, expliqua Kwasi.

— Kwasi, emmène un petit peu Junie se promener au soleil, dit leur père. Je veux voir Binti tranquillement un petit moment.

— On revient bientôt, dit Junie.

Binti s'assit à côté de son père.

— Les comprimés font de l'effet, dit-elle. Tu as l'air plus en forme, aujourd'hui.

— Je me sens mieux, dit-il. Et tu sais ce qui me ferait me sentir encore mieux ? T'entendre me lire le script que tu as travaillé aujourd'hui.

Binti l'avait avec elle. Elle commença la lecture.

— Lis plus fort, dit Mme Nyika. Ton père n'a pas arrêté de nous parler de toi. On a tous envie de t'entendre.

Binti haussa un peu le ton.

— C'est ça. Comme ça.

Quelqu'un lui approcha une chaise au milieu du passage.

Binti se sentit un peu ridicule, mais son père l'encouragea d'un signe de tête et elle fit un pas en direction de la chaise.

— Allez, d'une belle voix, d'une voix forte, maintenant, dit Mme Nyika.

Binti respira profondément.

— L'épisode de cette semaine s'appelle « Gogo calme une dispute ».

Elle lut d'une voix forte, en jouant tous les personnages. La salle était plongée dans le silence tandis que les patients et leurs familles l'écoutaient. Parfois, un rire se faisait entendre. Quand elle eut terminé, les gens applaudirent. Binti salua, comme elle l'avait fait le soir de la fête à l'hôtel, puis descendit de la chaise.

— C'était magnifique, dit son père. Tu feras de grandes choses, plus tard.

Il ferma les yeux. Binti se lova contre lui. C'était bon, d'être tout proches.

Junie et Kwasi revinrent de leur promenade. Ils s'assirent sur le bord du matelas, là où il restait un peu de place. Ils demeuraient silencieux. Ils étaient là, assis avec leur père qui dormait, tout simplement.

Deux employés de l'hôpital entrèrent dans la salle en poussant un chariot qui contenait les plateaux-repas. Junie sortit un bol de son sac et le tendit à Binti.

— Va faire la queue, dit-elle.

Binti revint avec des haricots et du *nsima*, de la

farine de maïs. Junie réveilla leur père, mais il n'avait pas faim et il se rendormit aussitôt. Binti et ses frère et sœur se partagèrent le bol du dîner. Junie avait même pensé aux fourchettes.

Plus tard dans la soirée, un prêtre entra dans la salle. Il passait d'un lit à l'autre en arborant un large sourire. Il tenait sa Bible dans une main et tendait l'autre pour réconforter les malades. Il fit un prêche au sujet de la joie qu'on donne et de l'amour de Dieu.

— Priez Dieu et aimez-Le. Aimez-vous les uns les autres. Faites du bien autour de vous.

Il se mit à chanter, un chant de prière et de grâces, tapant de sa main sur la Bible pour garder le tempo.

Les patients et leurs familles l'imitèrent. Certains dansaient en même temps qu'ils chantaient. Mme Nyika tendit les mains en direction de Binti, Junie et Kwasi pour les inviter à danser. Tout en dansant, Binti voyait que même les patients très faibles récitaient la prière en chœur. Beaucoup souriaient. Quelques-uns pleuraient. Binti souriait et pleurait à la fois. La musique s'élevait dans la salle tandis que les patients, les visiteurs et le prêtre remerciaient Dieu pour tout le bien qu'Il faisait.

Ce fut pendant la chanson que le père de Binti mourut.

— Il est mort par terre, mais autour de lui il y avait la musique et tous ceux qui l'aimaient, dit le prêtre en se penchant vers lui pour prier. Bien des rois n'ont pas eu une mort aussi belle.

7

Des parents éloignés firent irruption dans la maison. Des oncles, des tantes et de grands cousins venus de Lilongwe, Monkey Bay et même de Kasungu envahirent la cour de l'entrepôt. Junie passait son temps à donner des ordres à Binti, aller chercher ci, nettoyer ça.

— Où vont-ils dormir ? s'inquiétait-elle.

— Ils n'ont qu'à dormir dans la rue, déclara Binti. Je ne les connais pas, et je ne veux pas d'eux ici. D'ailleurs, comment est-ce qu'ils sont arrivés ici, hein ?

— Kwasi les a appelés de l'hôpital, et je me fiche

pas mal de ce que tu veux ou non. Il y a une façon de faire les choses, et c'est comme ça qu'on va faire.

— C'est notre père à nous qui est mort, grommela Binti.

Elle aidait Junie à préparer le repas de midi.

— Ce sont *eux* qui devraient nous aider !

— Quand Mama est morte, c'est moi qui me suis occupée de tout, et j'étais plus jeune que tu ne l'es aujourd'hui, répliqua Junie. Ne commence pas à te plaindre.

Kwasi entra dans la petite cuisine les mains chargées d'une pile de livres.

— Ils n'arrêtent pas de nous prendre nos affaires, dit-il. Ils nous les prennent et les mettent dans leurs valises.

Il alla enfermer les livres dans la chambre et ressortit.

— Ils n'ont rien à voir avec nous et ils nous *volent*, s'exclama Binti.

Mais pourquoi Junie ne les flanquait-elle pas à la porte ?

— Je me souviens d'en avoir vu certains à l'enterrement de Mama, dit Kwasi. Pas toi ?

— Tout ce dont je me souviens, c'est de la foule, dit Binti. Je me souviens de la maison quand ils étaient là, et comment elle paraissait vide quand ils sont partis. J'avais l'impression qu'ils s'étaient précipités sur la maison et qu'ils avaient emporté Mama dans leurs griffes.

Junie les bouscula pour aller prendre un bol.

— Est-ce que ce serait trop vous demander de mettre la main à la pâte en même temps que vous discutez ?

Binti la bouscula à son tour.

— La main à la pâte, la main à la pâte. Ça ne te fait rien, que notre père soit mort ?

Junie lui assena une gifle en pleine figure et quitta la cuisine.

Kwasi s'en alla, lui aussi. Binti entreprit de hacher une tomate, mais reposa bientôt le couteau. Une larme tomba sur le fruit.

« Pourquoi est-ce que je devrais faire la cuisine pour tous ces gens ? » se demanda-t-elle.

Elle laissa le repas en plan et sortit dans la cour.

— Qu'est-ce que tu fais ? demanda-t-elle à Kwasi qui transportait un lot de planches dépareillées vers l'établi.

Il ignorait superbement les cousins et les oncles qui étaient assis tout autour de la cour, attendant qu'on leur serve à manger.

— Je fabrique un cercueil pour Bambo, dit-il. Il lui en faut un, et c'est moi qui vais le lui fabriquer.

— Mais tu ne sais pas faire, répliqua Binti. Ni moi non plus.

— C'est que je n'avais pas vraiment essayé, avant, dit Kwasi. Si j'essaie pour de bon, je peux y arriver, je peux en fabriquer un.

Il ne voulait rien entendre. Dans son genre, Kwasi était aussi têtu que Junie.

— Qu'est-ce que tu fais, fiston ?

L'un des oncles – Binti, qui venait de les rencontrer, ne repérait toujours pas qui était qui – posa sa main sur le bras de Kwasi juste au moment où celui-ci s'apprêtait à scier une planche.

— Je fabrique un cercueil pour mon père.

— Je ne pense pas que nous ayons envie que ces planches soient coupées en petits morceaux, dit l'oncle. Elles valent cher, et à mon avis tu ne sais pas t'y prendre.

— Si, je sais très bien, protesta Kwasi.

— Tu as l'âge d'aller à l'école, pas de travailler.

L'oncle lui prit la scie des mains.

Binti eut un frisson de haine quand elle vit l'air déçu et vexé de Kwasi.

— Viens, dit-elle, j'ai une idée.

Elle prit l'argent qu'elle avait gagné à la radio sous la tasse où elle le cachait, sur l'étagère du haut, dans la cuisine. La femme qui était dans la maison la vit.

— Qu'est-ce que c'est que cet argent ? Où tu vas

avec ça ? Quand est-ce que vous aurez fini de préparer le dîner ?

Binti fit mine de ne rien entendre et se dégagea. Elle prit son frère par le bras et ils sortirent d'un pas vif.

Ils se rendirent à l'atelier de M. Tsaka.

— Je crois savoir pourquoi vous venez me voir, dit celui-ci. Ça me fait de la peine que votre père ne puisse pas être enterré dans l'un de ses cercueils. Je sais ce qu'il pensait de mes cercueils. Si, si, ne dites pas le contraire ! insista-t-il en riant. Votre père avait des idées arrêtées sur beaucoup de choses. J'adorais quand nous n'étions pas d'accord. J'aimerais pouvoir vous donner un cercueil gratuit, mais c'est impossible. Au moins, je vous en vendrai un au prix de revient.

Il leur montra les cercueils qu'il avait assemblés.

— Nous voulons l'assembler nous-mêmes, dit Binti.

M. Tsaka inclina la tête.

— Oui, je comprends. Venez choisir les planches, et je vous montrerai comment on fait.

Ils en choisirent un vert avec de fines rayures blanches.

— Il fait penser à du marbre, dit M. Tsaka. Le marbre est une pierre magnifique.

Il montra aux enfants comment assembler les

pièces les unes avec les autres et les laissa se servir de ses outils.

Quand ils eurent terminé, M. Tsaka confia à Kwasi un petit pinceau et un bidon de peinture.

— Ton père m'a raconté ce que tu fais, dit-il.

Kwasi peignit un splendide oiseau au fond du cercueil. Il avait les ailes largement déployées, comme s'il était en plein vol.

— Rapportez ça chez vous, vos oncles verront ce dont vous êtes capables.

M. Tsaka accepta une partie de l'argent que Binti lui tendait pour payer le cercueil, et lui rendit le reste.

— Garde-le et cache-le, lui dit-il. On ne sait jamais, tu peux en avoir besoin.

Kwasi et Binti emportèrent le cercueil.

— Je passerai cet après-midi pour emmener les dames au funérarium et à l'enterrement, dit M. Tsaka.

Binti et son frère le remercièrent, avant de retourner à leur magasin.

Les cousins furent impressionnés par le cercueil mais...

— Vous avez dépensé plus qu'il ne fallait ! s'exclamèrent-ils.

— C'est fait, de toute façon, dit Kwasi. Pour notre père.

— Il vous reste de cet argent que vous aviez ? demanda l'une des tantes.

— Il n'y a plus rien, assura Kwasi en répondant à la place de Binti. On avait juste assez pour le cercueil. Notre voisin viendra cet après-midi pour nous emmener au funérarium puis à l'enterrement.

— Tu nous parles sur un autre ton, s'il te plaît, dit l'un des oncles. Tu es encore petit, tu viens de perdre ton père et tu ne nous connais pas, mais ça n'empêche, tu dois nous parler sur un autre ton.

Binti regarda son frère. Il avait l'air tellement triste – mais il ne se laissa pas abattre très longtemps.

— Qu'est-ce que c'est que cet oiseau qui est peint là ? demanda un cousin.

Binti rentra dans la maison pour finir de préparer le repas. Des tantes s'en étaient déjà chargées. Elles lui jetèrent un rapide regard et secouèrent la tête. Binti fit celle qui n'avait rien vu et sortit les bols ; on pouvait servir.

— Mets ta plus belle robe, dit Junie après le repas. Nous ne sommes pas dimanche, mais nous allons à l'église.

Elle avait sorti de l'armoire les vêtements de Binti.

Binti se changea et, quand elle fut prête, rejoignit Junie et les autres femmes. Tout le monde s'était mis sur son trente et un. M. Tsaka arriva. Binti et les autres grimpèrent à l'arrière de la camionnette. Les hommes hissèrent le cercueil entre leurs genoux. Il n'y avait pas assez de places assises pour toutes les femmes. Certaines étaient debout, s'accrochant à la camionnette comme elles le pouvaient. Kwasi et deux cousins de son âge sautèrent à l'arrière et se tinrent en équilibre sur la porte arrière.

Binti était assise à côté de Junie, le cercueil était posé entre leurs jambes. Binti le tenait fermement, mais tant de femmes avaient la main dessus qu'il n'y avait aucun risque qu'il tombe de la camionnette.

Les femmes entonnèrent un chant qu'elles n'interrompirent qu'au funérarium de l'hôpital. Les hommes descendirent de la camionnette par l'avant, Kwasi et les autres garçons sautèrent du hayon arrière et emportèrent le cercueil. Les femmes continuaient à chanter.

La camionnette repartit du funérarium : le cercueil pesait plus lourd, sur les genoux de Binti. Elle se représentait son père qui était dedans. Elle aurait voulu qu'il se lève, qu'il sorte de là, ils seraient rentrés à la maison et auraient fait déguerpir tous les cousins et oncles et tantes. Mais non, c'était impossible… alors elle se mit à chanter avec les autres femmes, et essaya de ne pas pleurer.

Ils durent attendre à la porte de l'église avant de

pouvoir entrer : on célébrait déjà un service funèbre qui n'était pas encore terminé. D'autres proches arrivèrent petit à petit dans l'enclos paroissial. Ce fut là que M. Wajiru retrouva Binti, il la prit dans ses bras, et embrassa aussi Junie et Kwasi très fort.

Enfin, la messe commença. L'église était bondée. Le père de Binti était un homme que tout le monde aimait.

Binti, Junie et Kwasi prirent place au premier rang. Les frères et sœurs de leur père s'assirent à côté d'eux. Ils pleuraient, et Binti en conçut un peu de sympathie à leur égard. Elle tâchait de ne pas penser à son père enfermé dans son cercueil devant l'autel.

Elle était assise au bout de la rangée et, à un moment, se retournant, elle vit une vieille dame qui avançait à tout petits pas, soutenue par un jeune homme.

Junie et Kwasi, ainsi que les cousins et toute l'assemblée des fidèles, se levèrent avec respect. Junie obligea Binti à se lever.

— Qui est-ce ? demanda Binti.

— Tu ne te souviens pas ? C'est Gogo.

Deux des oncles tentèrent de faire s'asseoir Gogo au milieu des autres membres de la famille, mais elle se dégagea. Toujours accompagnée du jeune homme, elle continua son chemin jusqu'à l'autel, où se trouvait le cercueil. Le prêtre ouvrit les bras pour l'embrasser mais elle fit comme si elle ne le voyait pas.

— Ouvre-le, dit-elle au jeune homme qui l'accompagnait.

Deux des oncles de Binti s'approchèrent immédiatement : elle les repoussa.

— Je veux voir mon fils, insista-t-elle. Faites que je puisse le voir ou laissez-moi tranquille.

Ils aidèrent le jeune homme à ouvrir le couvercle du cercueil.

— C'est lui, dit Gogo. C'est mon fils.

Elle se tourna vers l'assemblée.

— Jeremiah, mon jeune ami, et moi, nous revenons tout juste de l'hôpital. Le médecin m'a dit que le sida était entré dans le sang de mon fils. C'est le deuxième fils que le sida m'emporte. J'ai aussi perdu trois filles. Toujours la même chose. Toujours ce sida.

Binti se dit que Gogo allait se mettre à pleurer, mais la vieille dame ravala ses larmes et continua son discours.

— Nous ne voulons pas avouer ce dont il s'agit. Nous imaginons que si on ne prononce pas le mot, ça va disparaître, mais non, ça ne disparaîtra pas. Autrefois, du temps où il y avait encore des lions qui rôdaient, si l'un d'eux entrait dans notre village et emportait un de nos jeunes gens, on ne restait pas silencieux ! Car, sinon, il continuait à dévorer nos enfants. Il fallait faire du bruit. On devait taper sur des casseroles et hurler : « Il y a un lion dans le village ! ! » Alors on arrivait à se débarrasser de la bête et à sauver nos enfants.

« Aujourd'hui, un lion est entré dans notre village. Il s'appelle sida. Il emporte nos enfants. Alors, je veux vous dire à tous, aujourd'hui, que mon fils est mort du sida, et que je l'aimais. Sa femme est sans doute morte du sida, avant lui, et elle aussi, je l'aimais. Et je suis fatiguée d'enterrer mes enfants.

— Amen, dit le prêtre.

Il se mit à prier et les fidèles entonnèrent un chant. Gogo prit Binti, Junie et Kwasi dans ses bras tous ensemble. Binti sentait que son frère et sa sœur étaient en larmes. Elle pleurait, elle aussi.

Les fidèles accompagnèrent le cercueil de l'église jusqu'au cimetière. Binti dansa avec les autres lors de la procession tandis que Kwasi aidait les hommes à porter le cercueil. Le cimetière était baigné d'ombre et de verdure. Au moment où l'on mettait en terre le cercueil de son père, Binti aperçut un grand oiseau, les ailes déployées, qui s'élançait dans les hauteurs du ciel.

8

— Je pense pouvoir prendre le garçon.

Binti, couchée dans le lit près de Junie, était en train de se laisser gagner par le sommeil quand elle entendit l'un de ses oncles élever la voix.

— Il peut travailler dans ma pêcherie à Monkey Bay.

— Tu as de la place pour l'héberger ?

— Personne n'a de place pour héberger personne, répondit l'oncle, mais que veux-tu ? Ce sont les enfants de notre frère, et notre mère compte sur nous pour que nous nous en occupions. Elle a été on ne peut plus claire sur ce point.

Binti se redressa dans son lit. Elle secoua Junie pour la réveiller.

— Écoute, chuchota-t-elle, ils sont en train de manigancer quelque chose.

Elle réveilla également Kwasi, qui dormait sur un matelas par terre. Il rejoignit ses sœurs dans le lit et ils prêtèrent l'oreille.

— Le garçon a l'air de tout sauf d'être capable de travailler, fit remarquer l'une des tantes. Il est resté assis dans son coin, à gâcher du papier pour griffonner ses dessins. Je ne suis pas sûre qu'il te rendra grand service.

— Sans doute que non, mais j'ai déjà suffisamment de filles comme ça chez moi.

— Je n'en veux aucun chez moi, dit une autre. Et s'ils avaient le sida, hein ? Qu'est-ce qu'on en sait ? Je ne veux pas qu'ils contaminent mes enfants. Imagine qu'on boive dans la même tasse : tout le monde attraperait la maladie.

— Il faut faire quelque chose. J'ai dit d'accord pour le garçon. Qui veut se charger des filles ?

Binti en avait trop entendu. Elle bondit hors du lit et entra dans la pièce.

— Personne ne va nous emmener nulle part, dit-elle. On reste ici. Nous sommes capables de nous débrouiller tout seuls.

— Je n'aime pas le caractère de celle-là, dit une

tante en grimaçant comme si Binti avait mauvaise haleine.

— Binti, viens voir ici.

Junie la fit revenir dans la chambre et ferma la porte.

— Pourquoi tu fais ça ? demanda Binti.

— Mais quand est-ce que tu cesseras de te comporter comme une gamine ?

— Mais quand est-ce que vous arrêterez de vous disputer ? s'interposa Kwasi. Est-ce qu'on a le choix ? demanda-t-il ensuite à Junie.

Junie arpenta la pièce dans tous les sens puis s'assit enfin sur le lit. Binti et Kwasi la rejoignirent.

— On n'a pas d'argent, fit observer Junie. On n'en a jamais eu beaucoup, et même si c'est Binti qui a payé le cercueil, il y a eu les frais pour l'enterrement et pour les médicaments.

— Mais je peux continuer à gagner de l'argent, fit remarquer Binti.

— Et l'école ? interrogea Kwasi. Les droits d'inscription ? Ils sont payés ?

— Jusqu'à la fin du mois prochain, répondit Junie. Si nous pouvons imaginer une organisation qui nous permette de nous en sortir tout seuls, peut-être que les oncles et tantes nous laisseront ensemble. Je sais bien que ça n'a pas l'air d'être le cas, mais je vous assure qu'ils essayent vraiment de faire ce qu'il faut pour nous. Nous sommes un fardeau pour eux, et ils essayent de s'occuper de nous le moins mal possible. Si nous pouvons leur prouver que nous pouvons nous débrouiller sans eux, à mon avis ils seront ravis. Après tout, cette maison est à nous. Nous ne pouvons pas nous occuper de la boutique, mais on peut envisager de la louer à quelqu'un d'autre qui souhaiterait s'en occuper.

— On pourrait aussi louer la chambre de Bambo, proposa Binti, qui aussitôt se sentit honteuse d'avoir pensé qu'un étranger pourrait dormir dans la chambre de son père.

Junie s'en rendit compte.

— Bambo aurait voulu qu'on reste tous les trois ensemble. On trouvera quelqu'un de bien à qui donner la chambre à louer, un professeur, par exemple, ou peut-être que le prêtre connaîtra quelqu'un.

— Binti et moi, on ira dans une école publique, proposa Kwasi.

La perspective de changer d'école déplaisait fortement à Binti, mais elle préférait tout de même cela à l'idée d'être répartis chez leurs oncles et tantes. Sans compter que, dans une nouvelle école, elle bénéficierait toujours de son statut d'héroïne de *Gogo et sa famille*. Kwasi se tourna vers Binti :

— Mais ce serait mieux que Junie reste à

St Peter's jusqu'à ce qu'elle ait passé ses examens, je pense. Elle fera de meilleures études, plus tard, en sortant d'une bonne école. Moi, je trouverai un petit boulot au marché. On y arrivera.

— On y arrivera bien mieux que des tas de gens au Malawi, dit Junie. Donc, la voilà, notre organisation. On va faire comme ça jusqu'à ce que je passe mes examens. Peut-être que je pourrai faire un peu de secrétariat à l'école pour avoir à payer moins de frais de scolarité ; ou bien m'arranger avec eux pour les régler une fois que j'aurai commencé à travailler. Quand Noël et moi nous serons mariés, vous viendrez vivre avec nous jusqu'à ce que vous finissiez l'école. On se disait que, de toute façon, c'est ce qui allait se produire, avec Bambo qui était si malade.

— Il avait le sida ? demanda Binti.

— Il avait une pneumonie, répondit Junie d'un ton sec. Tu as bien entendu ce que le médecin a dit.

— Oui, mais Gogo a dit...

— Gogo est vieille, et elle était bouleversée. Elle a peut-être entendu je ne sais quoi à l'hôpital, je ne sais pas, moi. Si on te le demande, dis que ton père est mort d'une pneumonie.

— Et Mama ?

— Dis-leur que Mama est morte de la tuberculose. Je m'en souviens, j'étais plus grande que vous deux quand elle est morte, alors je m'en souviens mieux.

Le regard de Junie passait de Binti à Kwasi : elle voulait s'assurer qu'ils avaient bien entendu.

— Bon, on va aller expliquer tout ça aux oncles et tantes, reprit-elle. Et après, on pourra tous aller se coucher tranquilles. Demain, ils reprendront leur chemin.

Les enfants sortirent de la chambre pour se rendre dans la pièce principale. Aux yeux de Binti, c'était d'ordinaire une grande pièce, qui servait à la fois de cuisine, de salle à manger et de salon. Les oncles et tantes en occupaient le moindre espace. Ceux qui n'avaient pas pu trouver de place autour de la table avaient investi le canapé et la chaise – celle sur laquelle Bambo aimait s'asseoir.

Les enfants saluèrent respectueusement leurs oncles et tantes, les filles faisant la révérence. Junie exposa leurs projets et conclut en disant :

— Nous vous sommes reconnaissants de penser à nous, mais vous n'avez plus de souci à vous faire pour nous.

Oncle Mzola fut le premier à prendre la parole. C'était celui qui, d'après Binti, ressemblait le plus à leur père, bien qu'un peu plus grand et pas aussi beau. C'était lui, aussi, qui s'était assis sur la chaise de Bambo.

— Vos projets ne sont pas inintéressants, dit-il, mais il y a beaucoup de choses auxquelles vous n'avez pas pensé. Pour commencer, cette maison ne vous appartient pas. Elle est à nous. C'est nous, les adultes, qui sommes responsables de vous, et les biens de votre père nous reviennent.

— C'était quand même notre frère, fit remarquer la tante qui n'aimait pas le caractère de Binti.

— On a mis en vente la maison et la boutique. L'emplacement est bon, et on a déjà un acheteur.

— Mais l'argent de la vente…, commença Junie.

— Il nous reviendra, conclut oncle Wysom. Nous sommes responsables de vous.

Oncle Mzola poursuivit :

— Nous avons réussi à nous faire rembourser de vos frais de scolarité. Nos propres enfants ne fréquentent pas des écoles aussi chics, alors pourquoi est-ce que vous devriez être différents des autres ? J'emmène Kwasi avec moi à Monkey Bay. Vous, les filles, vous irez toutes les deux avec oncle Wysom. Il vit à Lilongwe. Vous aiderez au ménage et vous vous rendrez utiles.

— Et mon émission de radio ? demanda Binti. Je dois continuer à travailler.

— Je sais, c'est vraiment dommage. Encore de l'argent auquel on va devoir renoncer.

Oncle Wysom se recala sur le canapé dans une position plus confortable.

— Tu enregistres le samedi, c'est ça ? Je t'autorise à enregistrer encore une fois, après quoi il faudra qu'ils trouvent quelqu'un d'autre. J'ai ma famille et mon affaire dont il faut que je m'occupe. Je ne peux pas me permettre de rester plus longtemps à Blantyre.

Binti n'en croyait pas ses oreilles. Elle n'eut pas le temps de dire un mot : elle sentit la main de Junie qui se posait sur son épaule.

— C'est gentil d'avoir pensé à nous comme ça, dit Junie, mais vraiment, nous préférons rester ensemble. Mon fiancé, Noël, sera certainement d'accord pour que nous nous mariions plus tôt que prévu. Kwasi et Binti viendront vivre avec nous. Nous nous en sortirons.

— Ah, oui, Noël.

Oncle Mzola sortit une enveloppe de sa poche.

— Le frère de Noël est venu t'apporter cette lettre, tout à l'heure.

Il la tendit à Junie.

— Tu l'as lue ? Mais c'est à moi qu'elle est adressée.

— Ce qui te regarde nous regarde nous aussi.

Junie lut le petit mot. Elle s'effondra si brusquement qu'on aurait pu croire qu'elle venait de rece-

106

voir un coup. Elle tourna les talons et partit dans la chambre.

Binti et Kwasi la suivirent.

— Kwasi, dit oncle Mzola, sois debout tôt, demain matin. On part pour Monkey Bay.

Binti et Kwasi fermèrent la porte derrière eux. Junie était sur le lit, la tête dans l'oreiller, en sanglots. Binti et Kwasi restèrent sans rien dire pendant un long moment, saisis de stupeur. Puis Binti se pencha vers sa sœur et prit la boule de papier que Junie froissait dans sa main. Elle lut à voix haute : « Chère Junie, je t'écris pour rompre nos fiançailles. Mes parents ne veulent pas que j'entre dans une famille qui est salie par le sida et je dois respecter leur volonté. Noël. »

Il n'y avait rien à dire.

Binti et Kwasi s'assirent sur le lit à côté de leur grande sœur ; elle ne les repoussa pas. Ils restèrent ainsi tout proches, complètement seuls, attendant le matin.

Dès le lever du soleil, oncle Mzola n'eut plus qu'une idée en tête : partir. Il tendit son adresse à Junie.

— Je sais que vous pensez que nous sommes cruels avec vous, mais nous faisons du mieux que nous pouvons. Nous aimions beaucoup votre père, et votre mère, aussi.

Il désigna du menton la feuille que Junie tenait dans sa main.

— Gardez le contact avec votre frère. Et venez nous voir, de temps en temps.

— Tu n'es pas obligé d'y aller, dit Binti à Kwasi.

— Qu'est-ce que tu veux que je fasse ? Je n'ai pas d'autre endroit où aller.

— Junie, fais quelque chose !

— Aucun d'entre nous n'a d'autre choix, maintenant.

Ce fut tout ce que Junie fut capable de dire. Son gilet était boutonné de travers, mais apparemment elle ne l'avait pas remarqué.

Elles aidèrent Kwasi à rassembler ses affaires. Binti voulait être certaine qu'il avait bien ses crayons et son matériel de peinture.

— Tu vas trouver de nouvelles choses à peindre, à Monkey Bay, dit-elle, d'autres oiseaux que tu ne connais pas, peut-être.

Il fourra le tout au fond de son sac.

Binti avait une autre idée. Elle vérifia que ni ses oncles ni ses tantes ne regardaient, puis prit ce qui restait de son argent là où elle l'avait caché. Elle le divisa en trois.

— Prenez ça et ne le montrez à personne, dit-elle

à Junie et Kwasi en leur tendant à chacun une part. Maintenant, c'est la guerre entre eux et nous.

— On y va, fiston, appela oncle Mzola.

— Je ne suis pas votre fils, grogna Kwasi.

Il serra Binti et Junie dans ses bras, jeta un dernier regard circulaire sur la maison et la boutique, puis suivit oncle Mzola dans la rue. Binti et Junie le regardèrent grimper dans le minibus derrière leur oncle. Il eut le temps de leur faire signe de la main avant que le véhicule disparaisse de leur vue.

— Garde-le, dit Mme Chintu, la directrice, à Binti en lui mettant l'insigne de préfet des élèves dans la main.

Binti et Junie s'étaient rendues le lendemain à St Peter's pour prendre leurs affaires et dire au revoir.

— Garde-le en souvenir de nous.

Et, s'adressant à Junie, Mme Chintu reprit :

— Tu es à quelques mois d'obtenir ton certificat d'études secondaires. J'espère que tu es en mesure de passer tes examens, mais même si ce n'est pas le cas, souviens-toi que tu es plus instruite maintenant que la plupart des gens de ce pays. Fais-en bon usage, je te fais confiance.

— Oui, Mme Chintu, répondit Junie d'une voix morne et dénuée de toute expression.

De là, elles se rendirent au bâtiment qui abritait Story Time.

— M. Wajiru arrangera tout, dit Binti. Les gens aiment m'entendre. J'ai des lettres d'admirateurs. Il ne peut pas me laisser partir.

M. Wajiru les écouta sans dire un mot.

— Ce sont des nouvelles bien tristes, que vous m'apportez là, fit-il remarquer.

— Nos oncles et tantes ont pris la plupart de nos affaires, dit Binti. Kwasi passait son temps à les prendre pour les cacher, mais ils ont tout pris quand même. Ils ont vendu la maison de notre père et son commerce, et ils gardent l'argent pour eux.

M. Wajiru fit signe qu'il avait compris.

— Détournement de biens : c'est fréquent, au Malawi, dit-il. Parfois, c'est par cupidité, mais pas toujours : c'est parce que les gens sont dans le besoin. Il faudrait qu'on en fasse un épisode, un jour, ajouta-t-il, comme pour lui-même.

Binti sauta sur l'occasion.

— Je peux faire ce qu'il faut pour ça, proposa-t-elle. Je pourrais vivre ici avec Junie. Elle est très forte pour le ménage, la couture... et elle... enfin, moi je pourrais passer le balai, et puis faire l'émission. Vous n'auriez pas à me payer. Ce serait comme si je payais un loyer. On n'a pas besoin de beaucoup de place, vous savez.

Elle poussa Junie du coude pour que celle-ci l'aide à convaincre M. Wajiru, mais Junie ne disait mot et restait les yeux fixés au sol.

M. Wajiru réfléchissait, le poing serré. Plus il réfléchissait, plus Binti se disait qu'il y avait peut-être quelque espoir. Mais elle fut bientôt déçue.

— J'adorerais vous proposer de vivre ici, dit-il, mais c'est impossible. Je ne peux pas aller contre le vœu de vos oncles et tantes. Vous êtes leur famille, et c'est à eux de décider. Et même si ce n'était pas le cas, il n'y a pas de place ici pour que vous puissiez rester.

Binti se sentit désespérée.

— Voici ce que je peux faire, proposa M. Wajiru. Il nous reste trois scripts prêts à être enregistrés, en plus de celui de demain. Est-ce que tu peux rester un peu, aujourd'hui ? On peut enregistrer ton rôle, et le monter plus tard. Comme ça, tu seras payée pour les épisodes et tu feras partie de *Gogo et sa famille* un petit peu plus longtemps.

— Oui, d'accord, dit Binti.

Elle ne voulait pas demander à M. Wajiru s'il allait se mettre à la recherche d'une autre petite fille pour le rôle. Elle ne voulait pas le savoir.

On se mit d'accord pour que le directeur accompagne Binti en voiture après les enregistrements, et Junie rentra à la maison faire les valises. C'était bizarre de se retrouver toute seule dans le studio, avec seulement M. Wajiru pour lui donner la réplique. Elle ne fut pas aussi performante qu'elle l'aurait été avec une semaine de répétitions et toute l'équipe autour d'elle, mais M. Wajiru parut content. Au moment de la payer, il lui dit :

— Garde bien cet argent et ne le montre à personne.

Il avait sans doute tenu les autres acteurs au courant du départ de Binti, car il y eut une soirée d'adieux, le lendemain. Tout le monde lui avait apporté des cadeaux, même Stewart, qui finalement n'était peut-être pas si odieux qu'elle l'avait pensé. Elle reçut des livres et des stylos, un nouveau chemisier et des boîtes de bonbons. La radio lui fit également cadeau de deux couvertures Chiperoni toutes neuves, fabriqués par une entreprise qui avait pris comme marque le nom du vent, une pour elle et une pour Junie.

Oncle Wysom se présenta au studio en fin de journée, juste au moment où Binti recevait sa paie du jour.

— Cet argent me revient, dit-il. C'est moi qui suis responsable d'elle, maintenant, et ça va me coûter de l'argent, de les avoir, sa sœur et elle, chez moi, à Lilongwe.

M. Wajiru n'émit aucune protestation. Il avait

prévenu Binti que cela risquait d'arriver. Il tendit l'argent à l'oncle, celui-ci le recompta avant de le mettre dans sa poche. Binti songea à l'argent qu'elle avait secrètement conservé et cette idée lui redonna un peu de joie. M. Wajiru fut le dernier à lui dire au revoir. Il la tint serrée fort dans ses bras.

— Nous ne t'oublierons pas.

Binti avait la gorge trop nouée pour pouvoir dire un mot.

Le lendemain, oncle Wysom embarqua Binti, Junie et leurs affaires dans un minibus plein à craquer, et ils prirent la route de Lilongwe.

9

Bien qu'elle fût mal installée et à l'étroit, Binti réussit à dormir durant la plus grande partie du trajet qui les conduisit à Lilongwe. Elle percevait vaguement que le minibus s'arrêtait de temps en temps, puis repartait une fois que les gens étaient descendus ou montés, mais elle gardait les yeux fermés et se rendormait aussitôt.

Quand la voiture arriva à destination, il lui fallut un moment pour se rendre compte que tout le monde était descendu. Quelqu'un la poussa pour la faire sortir, et son corps se mit en mouvement avant même qu'elle ait l'esprit tout à fait clair.

— Junie ? cria-t-elle.

Il y eut un moment affreux pendant lequel elle perdit de vue sa sœur, puis elle sentit que quelqu'un la saisissait fermement par le bras.

— Viens, grogna Junie. Ne reste pas plantée là.

Au moins, il y avait des choses qui ne changeaient pas. Binti prit son sac et partit en courant avec Junie.

Elles ne coururent pas longtemps. Une foule compacte de gens et de véhicules grouillait autour de la station de bus. Oncle Wysom, sans un mot, prit deux de leurs sacs et s'engagea dans la rue devant elles. Binti était heureuse que Junie la tienne par le bras. Elles devaient bousculer les passants autour d'elles pour pouvoir suivre leur oncle.

Il les fit passer par des rues remplies de boutiques. Comme on était dimanche, la plupart étaient fermées, mais des commerçants proposaient leurs marchandises à même le trottoir. De vieilles femmes portaient sur la tête de vastes plateaux remplis de bananes, et de petits étals vendaient légumes, savons, médicaments et droguerie.

Ils traversèrent un pont qui surmontait un mince ruisseau dans lequel des gens se baignaient et au bord duquel ils étendaient leur lessive à sécher sur des rochers. Ils laissèrent derrière eux la ville bruyante et populeuse et passèrent dans des rues bâties de maisons calfeutrées derrière de hauts murs. Ils se faisaient dépasser par des autobus, des voitures et des bicyclettes. Ce quartier était plus tranquille que celui de Blantyre auquel Binti était habituée, et à l'horizon on ne voyait aucune montagne. Ils s'arrêtèrent enfin à une petite gargote.

— Bambo est rentré ! Bambo est rentré !

De jeunes enfants traversèrent la cour en courant et entourèrent oncle Wysom de leurs bras. Binti crut qu'elle allait défaillir. Une foule d'enfants plus âgés, de l'âge de Binti et de Junie, sortirent sur le devant de la cour. Ils ne lâchaient pas Binti et sa sœur des yeux.

Une grande femme aux épaules larges, habillée d'une robe ample, sortit de la maison et vint à la rencontre d'oncle Wysom en souriant. Puis son sourire se figea, et disparut.

— Je ne pouvais pas faire autrement, fut tout ce que dit oncle Wysom. Voici votre tante Agnes, annonça-t-il à Junie et Binti, avant de les présenter à sa famille.

Une petite fille fit un pas vers elles pour mieux les voir.

— Non, ne vous approchez pas, dit oncle Wysom à ses enfants. Leurs parents sont morts du sida. D'après ce qu'on sait, elles l'ont aussi toutes les deux. Alors restez à distance.

— Tu as apporté le sida chez nous ? s'exclama tante Agnes. Mais tu es fou ? !

— Il n'y a pas à s'inquiéter tant qu'on ne les touche pas et qu'on ne boit pas dans la même tasse qu'elles, leur dit oncle Wysom. Je sais, je me suis renseigné.

— C'est faux, non ? chuchota Binti à Junie.

Tante Agnes fusilla Binti du regard.

— Qu'est-ce que tu dis ? Je déteste les enfants qui font des messes basses.

— Je disais..., commença Binti alors que Junie restait silencieuse, que ni elle ni moi n'avons le sida, et que même si...

— Et je déteste les enfants qui répondent !

Tante Agnes se dressa devant Binti et Junie et brandit son doigt sous leur nez.

— C'est compris ?

Junie baissa les yeux. Binti fixa sa tante du regard un petit moment, avant de détourner la tête à son tour.

— Oui, tante Agnes, dit-elle doucement.

— Très bien, rentrons, dit oncle Wysom. Ce sont les enfants de mon frère, souhaitons-leur la bienvenue.

« Tu parles d'une bienvenue », pensa Binti.

Tante Agnes et oncle Wysom possédaient un petit restaurant dont ils s'occupaient. Leurs clients étaient en général des ouvriers du bâtiment et des routiers qui faisaient là une halte pour prendre leur déjeuner.

— Elles pourront aider au restaurant, dit oncle Wysom à sa femme. Elles sont assez grandes pour pouvoir se rendre utiles.

— Il n'est pas question qu'elles cuisinent, protesta tante Agnes. Elles vont nous faire attraper leur sida.

— Elles peuvent préparer à manger pour les clients, reprit oncle Wysom. Elles ne toucheront pas à la nourriture de la famille.

Binti se demandait comment son oncle et sa tante pouvaient être grossiers au point de tenir ces propos en leur présence. Junie ne disait rien.

Binti ne voulait pas se retrouver à nouveau avec la main de sa tante sous son nez, mais elle avait tout de même quelque chose à dire.

— Junie doit aller à l'école, avertit-elle son oncle, du ton le plus poli qu'elle put prendre. Normalement elle doit passer ses derniers examens cette année. Elle prenait des cours en plus, à Blantyre. Il faudrait qu'elle le fasse ici aussi, ou au moins qu'elle aille à l'école.

— Vous avez été mieux instruites que mes propres enfants, dans cette école de luxe où votre père vous envoyait, dit oncle Wysom. Et puis, de toute façon, on n'a pas d'argent pour les frais d'examen.

— Il y a l'argent que vous nous avez volé, dit Binti.

Une gifle violente claqua sur son visage.

— Va te laver la main, dit tante Agnes à son mari.

Elle s'empara des affaires de Junie et de Binti et prit le chemin de l'une des chambres. La famille d'oncle Wysom vivait dans une maison de quelques pièces située derrière le restaurant. La maison était un peu plus grande que celle de Binti, mais elle abritait beaucoup plus de monde.

— C'est ici qu'on va dormir ? demanda Binti.

Il y avait trois lits dans la pièce, serrés les uns contre les autres.

— Ce sont *mes* enfants qui dorment ici, précisa tante Agnes en sortant du sac l'une des robes de Junie. Non, mais regardez-moi ces beaux vêtements ! renifla-t-elle.

— Pas étonnant que l'affaire de mon frère ait eu des problèmes de trésorerie, dit oncle Wysom. Il dépensait tout son argent n'importe comment, à acheter des tas de belles robes pour ses filles, dont elles n'avaient pas besoin.

— Ce sont des vêtements d'occasion, fit remarquer Binti, prenant la défense de son père. Ils n'étaient pas aussi beaux quand Junie les a trouvés.

Elle a l'œil, pour les vêtements, et elle coud drôlement bien.

— Ah oui ? dit tante Agnes. Eh bien, elle nous fera profiter de ses talents pour servir au restaurant. Et je te prie de ne pas répondre. Je n'ai aucune envie d'avoir à te gifler. Tu es une gamine, et tu n'es même pas ma fille.

Binti voulut trouver un soutien auprès de sa sœur mais Junie restait droite comme une pierre tombale, tandis que tante Agnes, bientôt suivie par ses enfants, fourrageait dans les vêtements qu'elle avait pris tant de peine à confectionner.

— Qu'est-ce que c'est que ça ? demanda tante Agnes en brandissant l'exemplaire du *Youth Times*.

— C'est à moi, dit Binti. Il y a un article sur moi, dans ce numéro.

— Eh bien, ma chère, on n'est pas n'importe qui, hein ?

Tante Agnes le posa sur la pile des choses qu'elle confisquait à Binti et sa sœur.

— Disons que vous pouvez garder vos uniformes comme vêtements de tous les jours, déclara finalement la tante. Le reste, vous n'en avez pas besoin.

Binti et Junie furent autorisées à garder aussi quelques vêtements pour la nuit et chacune une robe pour l'église, même si ce n'était pas la plus jolie. Binti eut droit également à son script de « Gogo et sa famille », mais seulement parce que tante Agnes ne voyait pas où elle allait pouvoir le vendre.

— Vous n'aurez qu'à dormir dans l'entrepôt, toutes les deux, dit oncle Wysom à Junie. On vous mettra un matelas par terre pour la nuit. Ce sera bien assez confortable.

On les mit au travail le jour même. Le restaurant était fermé car on était dimanche, mais il y avait la vaisselle à faire et la cuisine à nettoyer. On donna à Binti et à sa sœur leurs propres assiettes, tasses, bols et couverts et on leur interdit de se servir de ceux des autres.

Binti fut heureuse quand arriva le moment d'aller se coucher. L'entrepôt était adossé à l'arrière de la maison. Oncle Wysom leur disposa un matelas au milieu des sacs de maïs et des bidons d'huile de friture. Tante Agnes leur fournit de vieilles couvertures en échange des deux couvertures Chiperoni neuves de Binti, qu'elle conserva pour la famille. On leur donna aussi une vieille lanterne.

— Je ne veux pas voir cette lampe brûler toute la nuit, avertit oncle Wysom. Ça coûte cher, les lampes à huile.

Enfin, elles furent seules. Elles enfilèrent leur

chemise de nuit, se glissèrent dans le lit et Junie éteignit la lumière.

Il manquait à Binti le bruit de fond du vieux quartier de Blantyre ; Kwasi, dont elle percevait la présence sur le canapé, en train de dormir ou de dessiner, lui manquait ; leur père lui manquait ; tout lui manquait.

— Junie ? appela-t-elle. Combien de temps est-ce qu'il faudra qu'on reste ici ?

Junie, recroquevillée, tournant le dos à Binti, ne répondait pas.

— Junie, combien de temps est-ce qu'il faudra qu'on reste ici ? !

Elle donna un coup de coude dans le flanc de sa sœur.

— Fiche-moi la paix, répliqua celle-ci.

Binti la laissa tranquille. Il faisait noir. Elle entendait sa sœur pleurer. Elles finirent par s'endormir l'une et l'autre.

— Il faut qu'on trouve une bonne cachette pour notre argent, dit Junie le lendemain, dès que Binti fut réveillée. Regarde bien partout où tu peux en trouver une.

Elles n'en avaient pas beaucoup le temps. On les faisait travailler comme des damnées toute la journée. Elles s'occupaient de la lessive, nettoyaient le restaurant avant que la foule des clients arrive, puis faisaient la plonge. On imposa en plus à Junie de retoucher ses vêtements et ceux de Binti pour les adapter à ses cousins.

La deuxième nuit, avant d'aller se coucher, Binti et Junie inspectèrent l'entrepôt dans tous ses recoins. Elles découvrirent une planche qui tenait mal, au fond de la pièce, et y cachèrent leur trésor.

Une semaine après leur arrivée, oncle Wysom annonça solennellement :

— On va transformer le restaurant en boutique à bouteilles.

Autrement dit, un endroit où les gens venaient acheter et boire de la bière, du rhum ou du whisky.

— Junie travaille bien, je l'ai regardé faire. Elle pourra être serveuse, et donner satisfaction aux clients.

— Du moment qu'elle peut encore faire le ménage que je lui demande, observa tante Agnes.

Binti, qui était en train de balayer dans la pièce voisine, fit claquer son balai par terre.

— Junie doit étudier pour ses examens ! Je vous l'ai dit dès le premier jour ! Elle doit aller à l'école, et elle a besoin d'étudier. Elle n'a pas le temps de faire tout ce que vous lui demandez de faire.

— Ramasse ce balai ! aboya tante Agnes. J'en ai

assez de tes jérémiades. Ta sœur ne se plaint jamais, elle.

« Peut-être qu'elle devrait », pensa Binti.

— Nous vous avons fait venir, ta sœur et toi, chez nous, ajouta oncle Wysom, mais nous ne sommes pas riches. Nous avons beaucoup d'enfants et beaucoup de charges. Vous êtes de la famille, et nous vous fournissons le gîte et le couvert. Si vous voulez plus, allez ailleurs et trouvez-vous vous-mêmes des cousins qui ont de l'argent. Et maintenant, retourne à ton travail et arrête de te plaindre. Vous êtes des orphelines, et vous n'avez aucun droit. Soyez déjà heureuses de ce qu'on vous donne.

Binti reprit son balai et retourna à son ménage. À un moment où personne ne la voyait, elle poussa la poussière sous l'un des tapis. Ce n'était pas un geste révolutionnaire, mais c'était déjà quelque chose.

10

La boutique à bouteilles ouvrit dès le lendemain soir.

— La veille du 6 juillet, la fête nationale du Malawi, déclara oncle Wysom. Les gens vont vouloir fêter ça le plus tôt possible.

Les nuits précédentes, le magasin avait été encore plus fréquenté tandis qu'il y entreposait des caisses de bouteilles de bière Kutchie Kutchie et de chibuku, une boisson au malt. Junie fut chargée de travailler au bar jusque tard dans la nuit. Binti ramassait les bouteilles vides sur les tables et lavait les verres dans l'arrière-cuisine, mais on l'envoya au lit alors que le bar fonctionnait encore à plein.

— Je vais avoir besoin de toi tôt demain matin pour le ménage, dit tante Agnes.

L'entrepôt, sans Junie, paraissait bien vide, mais les voix et la musique qui venaient du bar tenaient compagnie à Binti. La nuit ressemblait un peu plus à celles de Blantyre.

— Tu devrais déjà être levée.

Binti ouvrit les yeux le lendemain matin et vit sa cousine, Mary, penchée au-dessus du matelas. Mary avait quelques années de moins qu'elle.

— J'arrive, répondit Binti dans un bâillement.

Les bruits du bar lui avaient tenu chaud, la nuit dernière, mais l'avaient empêchée de s'endormir facilement.

— Lève-toi et prépare mes vêtements pour la rencontre.

La cousine devait retrouver sa classe au stade pour participer aux rencontres sportives de la journée.

— Prépare tes vêtements toi-même.

— Tu n'es qu'une orpheline. Tu dois m'obéir.

Mary balança un coup de pied à Binti à travers la couverture.

— Je vais dire à Mama que tu ne veux pas te lever.

Elle lui assena un dernier coup de pied avant de déguerpir en courant.

— Elle n'a pas le droit de nous parler comme ça, murmura Binti. Nous sommes des êtres humains, nous aussi. Nous n'avons pas toujours été des orphelines.

— Tu veux bien te lever et aller travailler, oui ? grommela Junie. Je suis restée debout jusqu'à je ne sais quelle heure, et j'ai aucune envie que tante Agnes débarque ici en hurlant. Elle est capable d'oublier qu'elle a dit que je pouvais dormir.

— Mais ils ne peuvent pas...

— Tu y vas, oui ou non ? cria Junie en se couvrant la tête de la couverture.

Binti sortit.

C'était le jour de la fête nationale, et les enfants n'allaient pas à l'école. Les rencontres au stade ne commençaient pas avant le début de l'après-midi. Les cousins les plus âgés étaient censés aider au ménage et à la boutique, mais de plus en plus ils laissaient cela à Junie et Binti.

Binti nettoya d'abord la salle du restaurant, puis débarrassa le petit déjeuner de la famille avant de pouvoir prendre le sien, du *nsima* froid et du thé.

— Mama a dit qu'aujourd'hui tu pouvais aussi

129

prendre une banane, car c'est jour férié, dit Mary en entrant dans la cuisine.

Elle indiqua du menton le régime de fruits sur la table.

— Vas-y, prends-en une.

Binti ne se le fit pas dire deux fois. Elle détacha une banane du régime et l'éplucha. Elle en avait mangé la moitié quand Mary se mit à crier :

— Mama ! Binti a volé une banane !

Binti se dépêcha d'engloutir le fruit. Au fond de son estomac, tante Agnes ne pourrait pas le lui reprendre, et peu importe si elle hurlait.

Junie se leva un peu plus tard pour préparer le repas des nombreux clients du midi. Binti l'aida à couper les tomates et les oignons pour la sauce, puis fit la plonge au moment où il y avait le plus de monde. Elle servit le *nsima* et la sauce, le poulet et les frites, et alla chercher les bouteilles de Pepsi et de Fanta dans l'entrepôt. Quand les clients eurent terminé, elle nettoya à nouveau la salle, de manière à ce qu'elle puisse accueillir les clients venus boire un verre le soir.

Les jours, les semaines passèrent. L'uniforme d'écolière de Binti, qu'elle abîmait chaque jour un peu plus à force de le porter quand elle travaillait, ressembla bientôt à une guenille. Elle avait presque oublié qu'elle avait été un jour préfet des élèves, qu'elle était un jour passée à la radio, qu'elle avait un jour flâné dans les rues de Blantyre, brandissant son script pour que les gens sachent qu'elle n'était pas n'importe qui.

Les cousins les plus âgés, à l'exception de Mary, l'ignoraient, la plupart du temps, sauf quand il s'agissait de lui brailler un ordre. Les plus jeunes se servaient parfois d'elle comme d'une cible pour leurs jeux de fléchettes – les fléchettes étant des épis de maïs –, et éclataient de rire lorsque tante Agnes lui ordonnait de leur faire leur toilette.

Elle avait sa revanche, parfois. Quand personne ne pouvait la voir, elle buvait une gorgée d'eau dans une tasse qu'elle reposait sans l'avoir lavée. Elle espérait pouvoir exterminer ainsi la famille tout entière, mais les semaines passaient, personne ne mourait, et son espoir s'amenuisa. Et puis, avec tout le travail qu'on lui donnait à faire à longueur de journée, elle était le plus souvent trop fatiguée pour se battre contre eux.

— Ne te mets pas si près de moi, lui disait souvent l'un des cousins, et elle reculait d'un pas.

Junie gardait la tête basse, faisait ce qu'elle avait à faire, et disait à peine trois mots. Une tache apparut sur son uniforme de lycéenne, et elle ne fit rien pour l'enlever. Elle perdit un bouton, et elle ne le recousit pas. Elle avait toujours l'air abattu.

Le silence de Junie rendait le chagrin de Binti encore plus pénible. Au début, Binti avait envie de parler de leur père et de leur frère, car elle souffrait beaucoup de les savoir loin d'elle. Mais Junie s'y refusait et, au fur et à mesure que le silence s'installait, Binti ne savait plus quoi dire.

Le soir, quand elle emportait les bouteilles vides, Binti regardait Junie qui servait des bières aux clients. Les hommes plaisantaient avec elle et essayaient de la faire rire. Ils lui passaient un bras autour de l'épaule ou de la taille, et elle leur adressait un sourire quand elle s'éloignait d'eux en balançant des hanches. Même de l'autre côté du bar plongé dans l'obscurité, Binti voyait que ce sourire était forcé.

Un soir, alors que le bar était calme, oncle Wysom alluma la radio. C'était l'heure de *Gogo et sa famille*. Le silence se fit, les clients se mirent à écouter Gogo qui mettait fin à une dispute entre deux membres de la famille et qui rabrouait un habitant du village qui avait bu tout son argent, laissant ses enfants sans rien à manger. Binti se souvenait de cet épisode. Le personnage qu'elle jouait avait pris de la nourriture pour les enfants de l'homme à la bière et avait parlé de lui à Gogo – plus par provocation que par gentillesse.

Au moment où s'acheva le générique de fin, oncle Wysom déclara à la cantonade :

— Ma nièce, c'est la fille qui joue Kettie, dans la série.

Il fit un geste en direction de Binti qui était en train de ramasser des bouteilles de Kutchie Kutchie.

Les clients applaudirent. Binti, qui ne s'y attendait pas, sourit, et l'espace d'un instant elle retrouva sa vie d'avant.

— Viens t'asseoir avec moi, l'invita un client d'un ton pressant. Je t'offre un panaché du Malawi. Tu sais ce que c'est ?

Il tapota le siège à côté de lui.

Binti grimpa sur le tabouret avant que son oncle ait pu la retenir. Cela faisait bien longtemps qu'on n'avait pas été gentil avec elle.

— C'est délicieux, le panaché du Malawi, dit l'homme. C'est du soda, du jus de fruit et...

— Descends de ce tabouret !

Binti fut tirée en arrière, non par son oncle, mais par sa sœur.

— Ma sœur n'a pas l'âge de fréquenter un bar, dit-elle à l'homme.

Elle entraîna Binti loin du comptoir et la fit entrer dans la cuisine, sous les éclats de rire des clients.

— Mais je ne faisais rien de mal, protesta Binti.

— Ne t'approche pas des clients, ordonna Junie.

Quand tu entres dans le bar, garde la tête basse, ramasse les bouteilles et sors, un point c'est tout.

— Mais je...

— Je ne veux pas le savoir. Tu écoutes ce que je te dis. Si jamais tu me désobéis, tu vas avoir de sales ennuis !

Binti promit. Junie lui lâcha le bras, puis retourna travailler. Binti sourit. Elle retrouvait sa sœur telle qu'elle était avant. Tout irait bien à nouveau.

La colère de Junie ne dura pas. Elle retourna aussitôt travailler sans dire un mot, pour servir les commandes que lui passaient les clients. Mais Binti se sentait différente. D'avoir entendu sa sœur redevenir comme elle était auparavant l'avait secouée et fait sortir de sa torpeur. Le Malawi tout entier avait entendu sa voix ! Elle avait joué sur scène et des gens l'avaient applaudie ! Même là, au milieu de ses ignobles cousins, elle restait quelqu'un de différent. Elle était plus qu'une cousine dont on ne veut pas, plus que quelqu'un qu'on ne considère que comme une orpheline.

Sa tristesse s'atténua, et elle sentit la colère monter.

— Tu es trop près de moi, lui dit Mary un matin alors qu'elles étaient toutes les deux dans la salle de restaurant avant l'ouverture. Plus loin, je te dis.

— Tu n'as pas à me dire ce que je dois faire, répliqua Binti d'un ton calme.

— Si, parfaitement. Tu n'es qu'une orpheline. Tu n'es rien. Tu dois faire ce que je te dis.

— Je suis plus âgée que toi et je n'ai pas à t'écouter, répliqua Binti qui fit exprès de se rapprocher.

— Va-t'en ! hurla Mary. Ta mère est morte du sida !

— C'est pas vrai.

— Si, c'est vrai. Et ton père, aussi. J'ai entendu mon père le dire.

— Ma mère et mon père étaient des gens bien. Ils n'allaient pas colporter des mensonges comme les parents de certains.

Binti regarda la petite fille droit dans les yeux.

Mary fronça sa petite figure pour lui donner l'air le plus méchant possible.

— Tes parents sont morts du sida et toi aussi, tu l'as sûrement, le sida. Mama dit que je dois rester loin de toi, sinon tu vas me contaminer.

— Ah, oui ?

Binti était décidée à relever le défi.

— Et à quelle distance tu dois rester de moi, à ton avis, pour ne pas l'attraper ?

Mary fut bien embêtée.

— Euh, au moins loin comme ça.

— Alors si je m'approche un petit peu, tu cours

un danger ? dit Binti en faisant un pas vers sa cousine.

— Tu ferais mieux de reculer.

— Et si je m'approche encore, comme ça ?

Elle fit un pas de plus. Les yeux de Mary devinrent exorbités de terreur.

— Sois précise, avertit Binti, je veux être bien sûre de ne pas m'approcher plus que ce que je dois. Vraiment, je ne voudrais pas qu'il arrive quelque chose à quelqu'un d'aussi précieux que toi.

— Reste où tu es, loin de moi.

— Et je suppose que si je te touche le bras, tu attrapes le sida à coup sûr, hein ?

— Ne me touche pas ! Mama dit que tu ne dois pas me toucher !

Binti avait acculé la petite fille dans un coin de la pièce. Mary ne pouvait se dégager sans se frotter à elle.

Binti s'amusait beaucoup, vraiment, pour la première fois depuis qu'elle avait emmené son père à l'hôpital. Elle leva la main au-dessus de l'épaule de la petite fille.

— Mama ! hurla Mary.

Binti abaissa sa main sur l'épaule de Mary, en la touchant suffisamment fermement pour qu'elle se rende bien compte qu'elle avait été en contact avec elle.

— C'est comme ça que je ne suis pas censée te toucher ?

— Mama ! elle me touche !

— Ou comme ça ? Ou comme ça ?

Binti touchait Mary du bout de son doigt, sur le bras, sur la joue, sur l'épaule à nouveau. Tante Agnes fut là deux secondes plus tard.

— Éloigne-toi d'elle !

Elle leva la main pour frapper Binti. Binti s'attendit à voir couler le sang, mais non. La main de tante Agnes était restée suspendue en l'air.

— Tu as peur de me taper, hein ? lança Binti. Tu as peur d'attraper le sida si tu me tapes !

Binti éclata de rire devant tant de bêtise.

Sa tante regarda autour d'elle et saisit le ruban tue-mouches qui était accroché non loin de là. Elle en frappa Binti, une fois, deux fois, dix fois.

La colle du ruban sentait affreusement mauvais, mais Binti était trop en colère et trop fière pour laisser sa tante et sa cousine voir qu'elle pleurait.

« Je compte bien plus que n'importe lequel d'entre vous comptera même dans cent ans », leur disait-elle en son for intérieur, tandis que tante Agnes continuait à la frapper et braillait devant l'ingratitude de sa nièce.

— Tu ne peux donc pas rester tranquille ? demanda Junie quelques minutes plus tard, alors que Binti avait été chargée de l'aider à faire la les-sive.

Loin de sa tante et de sa cousine, elle laissait les larmes couler sur ses joues souillées.

— Je donnais une leçon à Mary, dit-elle entre deux sanglots.

— Tu ne lui donnais aucune leçon du tout, répli-qua Junie. Tu ne faisais qu'empirer les choses.

— Comment veux-tu qu'elles soient pires ? demanda Binti à son tour.

Elle souleva la robe qu'elle était en train de laver, une robe bleue garnie de dentelle. La robe qu'elle portait pour les enregistrements, et qui maintenant appartenait à Mary. De la mousse froide lui coulait sur le bras, mais elle maintint la robe ainsi devant Junie, jusqu'à ce que celle-ci l'écarte d'un geste.

— Ils nous ont tout pris dès qu'ils ont passé le seuil de chez nous.

— Tu as de quoi manger, non ? Tu as un endroit pour dormir, non ?

— Pourquoi est-ce que tu ne te mets pas plus en colère ? demanda Binti.

— Arrête de faire la gamine, dit Junie. Tu n'as aucune idée de ce que je ressens. Alors ferme-la et fais ton travail.

Binti laissa choir la robe dans l'eau savonneuse.

— Tu disais que ça ne suffisait pas, d'avoir seulement de quoi manger et un endroit pour dormir. Tu faisais des projets pour l'avenir.

Junie continua à frotter les vêtements de ses cousins. Sans ajouter un mot.

11

— Tu es sûre qu'il ne restait plus rien de tout l'argent que tu as gagné à la radio ? demanda un jour tante Agnes à Binti.

Elle restait à distance de la jeune fille depuis le jour où elle l'avait frappée avec le ruban tue-mouches.

Binti était en train de nettoyer la casserole où avait cuit le *nsima*.

— Nous avons dû acheter un cercueil pour mon père, répondit-elle, sans quitter sa vaisselle des yeux.

— Ah oui, j'en ai entendu parler, de ce cercueil

de luxe, dit sa tante. Ton père n'était pas n'importe qui, hein ?

— Pour nous, oui, dit Binti, qui s'attendit à un sermon sur le thème « Les enfants ne doivent pas être insolents en répondant aux grandes personnes. »

Mais il n'y eut pas de sermon. Et sa tante resta là, debout près de Binti, à la regarder frotter la casserole.

Et Binti continuait à frotter, trouvant même des endroits totalement dépourvus de saleté qu'elle frottait avec énergie, dans l'espoir que sa tante finirait par s'en aller.

Finalement, tante Agnes reprit la parole. D'une voix que Binti ne lui avait jamais connue, une voix douce, mal assurée et un peu triste, elle demanda :

— Tu crois que mes enfants feraient ça pour moi ? Tu penses qu'ils m'aiment assez pour dépenser tout leur argent dans un cercueil de luxe pour moi ?

Binti s'attendait si peu à cette question que, sur le moment, elle ne sut que dire. Plusieurs réponses lui vinrent à l'esprit, comme : « Mais qui donc pourrait bien t'aimer ? », « Tes enfants sont si odieux que tout ce qu'ils seraient capables de faire c'est de déposer ton cadavre sur une fourmilière. »

Mais au lieu de cela, elle se retourna, regarda sa tante droit dans les yeux, et dit :

— Tes enfants t'achèteraient le cercueil le plus cher qu'ils trouveraient.

Sa tante écouta les paroles de Binti, puis, comme si elle était gênée par son propre élan de tendresse, lâcha sèchement :

— Tiens-toi droite et retourne travailler.

« J'aurais dû lui dire, pour la fourmilière », se dit Binti qui se représenta sa tante attaquée de tous côtés par des milliers de fourmis. « Des fourmis spéciales-famille », se dit-elle. L'idée la ragaillardit.

Une nuit, quelque temps plus tard, elle se réveilla alors que Junie rentrait dans l'entrepôt. Tante Agnes et oncle Wysom n'avaient pas cherché à être gentils en les séparant du reste de la famille, mais le résultat était le même. Cela donnait la possibilité à Binti et à Junie de se retrouver entre elles sans être dérangées.

Junie alluma la lampe à huile. Elle fit signe à Binti de ne pas faire de bruit.

Binti vit sa sœur sortir de l'argent de la poche de sa jupe et le déposer dans la cachette. Puis elle enfila sa chemise de nuit et se glissa dans le lit à côté de Binti. Elle éloigna la lampe.

— Où est-ce que tu as eu cet argent ? chuchota Binti.

— Je vais nous faire sortir d'ici, chuchota Junie en retour. On retrouvera notre frère, on louera une petite maison quelque part et on terminera l'école. Je ne veux pas continuer à vivre cette vie.

— Oui, mais où est-ce que tu as eu cet argent ?

— Les hommes t'en donnent, parfois, quand tu es gentille avec eux, dit Junie. Plus tu es gentille, plus ils t'en donnent.

Binti réfléchit quelques minutes.

— Peut-être que, moi aussi, je devrais être gentille avec les hommes. On pourrait gagner plus d'argent plus vite, comme ça.

Junie s'assit dans le lit et agrippa Binti si brusquement qu'elle en perdit le souffle.

— Je t'ai déjà dit de ne pas t'approcher des clients. Si jamais je te vois t'approcher d'eux, je te roue de coups.

Junie était tellement en colère qu'elle en oubliait presque de parler à voix basse.

— Je suis désolée, dit Binti.

— Ne me rends pas la situation plus difficile qu'elle n'est, dit Junie, qui se pelotonna à l'autre bout du lit.

Binti hésita un moment, puis tout doucement glissa son bras autour de l'épaule de Junie. Sa sœur la laissa faire, et elles finirent par s'endormir toutes les deux.

Les deux semaines suivantes, la vie continua de la même façon. La plupart du temps, la nuit, Junie ajoutait une petite somme à leur magot secret. Pendant la journée, les deux sœurs travaillaient, et Binti, qui savait que Junie machinait un plan pour les faire sortir de là, faisait de son mieux pour ne pas se disputer avec sa tante et son oncle.

— Dès qu'on aura assez d'argent, on pourra partir, disait Junie.

— Et on retournera à Blantyre, et je reprendrai mon travail à la radio.

Junie resta silencieuse un long moment. Binti devina qu'elle pensait à Noël.

— On ira d'abord à Monkey Bay, dit-elle enfin. On ira chercher notre frère. Puis on verra ce qu'on fait. On devra trouver un endroit qui soit dans nos moyens. Alors, on retournera à l'école. Tout n'est pas perdu.

Tout fut perdu quelques jours plus tard.

— Mama ! Regarde ce que j'ai trouvé !

Mary arriva en courant dans le restaurant un matin, avant d'aller à l'école. Depuis une heure, Binti et Junie étaient en train d'y faire le ménage. Mary serrait dans sa main une petite poignée de billets de banque.

— Où est-ce que tu as trouvé cet argent ? demanda tante Agnes.

— Dans l'entrepôt, dit Mary. Là où elles dorment, ajouta-t-elle en montrant du doigt Binti et Junie.

— C'est notre argent ! s'exclama Binti.

Junie n'eut que la force de poser son chiffon et de s'asseoir sur la chaise la plus proche.

— C'est l'argent que j'ai gagné à la radio et...

Quelque chose l'empêcha de dire quoi que ce soit sur la façon dont Junie gagnait de l'argent avec les hommes dans le bar.

— Et quoi ? insista tante Agnes.

— Et rien. C'est l'argent que j'ai gagné avec les émissions de radio.

— Tu nous avais dit qu'il n'y en avait plus.

— J'ai menti.

— Elles l'ont sûrement volé, dit Mary avec un méchant sourire.

— Vous avez volé cet argent ?

— C'est mon argent, répéta Binti. Je l'ai gagné en travaillant à la radio.

— Si tu l'as gagné, alors dis-moi combien il y a.

Binti ouvrit et ferma la bouche, essayant de trouver une idée.

— Je ne reste pas là toute la journée à compter mon argent.

— Je vais parler à ton oncle, déclara tante Agnes,

avant de quitter la salle pour aller chercher son mari.

Mary la suivit, tirant la langue à Binti au moment de passer la porte.

Binti s'assit à côté de sa sœur. Ni l'une ni l'autre ne disait mot.

Oncle Wysom entra peu après dans la salle de restaurant en compagnie de sa femme et de sa fille, ainsi que d'autres de leurs enfants.

— Vous êtes les enfants de mon frère, dit-il d'un ton grave. Je ne vais pas vous jeter à la rue parce que vous me volez de l'argent. Je ne vais pas non plus vous dénoncer à la police, même si c'est ce que je devrais faire. Vous êtes en deuil, vous avez perdu votre père, et quand les gens sont en deuil, il leur arrive de faire des choses bizarres. Mais je ne peux plus vous autoriser à rester ici avec ma famille. Vous pouvez rester encore quelques jours, le temps que nous vous trouvions un autre endroit, une famille qui ait besoin de main-d'œuvre. Jusque-là, je vous demanderai de vous tenir à distance de nous.

Ils quittèrent la salle, emportant avec eux l'argent de Binti et de Junie.

Celles-ci retournèrent à l'entrepôt. Elles s'assirent sur le matelas. Junie était prostrée, le visage tourné vers le mur. Binti posa sa main sur l'épaule de sa sœur. Elles restèrent ainsi un bon moment, sans prononcer une parole, sans verser une larme.

Binti se réveilla au milieu de la nuit. À côté d'elle, le lit était vide. Elle tâta la couverture et trouva un morceau de papier. Elle gratta une allumette, alluma la lampe et lut le message que sa sœur avait laissé.

« Chère Binti, je pars pour aller gagner de l'argent. Ne les laisse pas te confier à quelqu'un d'autre. Va à Mulanje. Va trouver notre grand-mère. Va vivre avec elle. Je vous retrouverai là-bas. Junie. »

Binti se leva et s'habilla. Elle rassembla les quelques dernières affaires qui lui restaient et en fit un ballot avec la couverture. Quand les premières lueurs du jour éclairèrent le ciel, elle quitta l'entrepôt. Elle y voyait assez pour trouver la caisse, derrière le bar. Elle la força avec un couteau et prit une poignée de *kwachas*[1]. Quand la famille se réveilla, elle était déjà loin.

---

1. La monnaie du Malawi.

12

Binti n'était allée qu'une fois à la station de bus, mais elle fut capable de la retrouver aisément. Le trajet jusque-là n'était pas très compliqué, elle ne pouvait pas se tromper. La seule fois où elle eut une hésitation, elle se dit que le mieux était de suivre le flot des voitures, des bicyclettes et des gens : c'était la bonne solution.

Tôt le matin, le dépôt était encombré de bus et de minibus, de voyageurs chargés de lourds ballots et de marchants de fruits et de thé chaud.

Binti n'avait aucune idée de l'emplacement où se

trouvait le bus qu'elle devait prendre, mais là encore la solution se présenta d'elle-même.

— Blantyre ! cria le chauffeur qui était aussi le receveur. Zomba ! Mzuzu !

— Le Mulanje ? demanda-t-elle au conducteur d'une petite voix timide.

Il lui indiqua une autre direction. Elle se dirigea vers l'endroit qu'il lui montrait, mais sans être tout à fait sûre.

— Le Mulanje ? demanda-t-elle à nouveau, d'une voix plus assurée, cette fois. Le Mulanje ! Je veux aller au Mulanje !

— Au Mulanje ? demanda le chauffeur. Monte !

— C'est combien ?

Il lui dit la somme : Binti avait juste un petit peu plus. Elle monta dans le bus et s'assit. Au départ, de nombreuses places étaient encore libres ; mais pendant que le bus se frayait un chemin au milieu de la foule, des bicyclettes et des vendeurs de rue, d'autres voyageurs montèrent. Binti fut coincée entre un vieux monsieur qui essayait de lire son journal et une femme chargée d'un lourd paquet. Binti pensa un instant à son oncle, sa tante et ses cousins, puis s'endormit. De temps en temps, elle se réveillait, la tête posée sur l'épaule du vieil homme. À d'autres moments, c'était contre la femme. Ni l'un ni l'autre ne semblait en être gêné.

À un moment, quand elle fut réveillée, la femme prit des bananes dans son chargement et en tendit une à Binti. Celle-ci remercia et mangea le fruit avant de se rendormir.

— Tout le monde descend, dit le vieil homme gentiment.

Il devait attendre que Binti sorte pour pouvoir lui-même se dégager. Elle se secoua pour se réveiller tout à fait, se frotta les yeux et s'extirpa du bus.

Elle eut le sentiment d'avoir débarqué dans un autre monde. Adieu les foules de Lilongwe, les bâtiments et les gens pressés les uns contre les autres. Le minibus avait fait halte dans une station-service. Binti resta sur le côté avec son balluchon et regarda les voyageurs accueillis par leurs familles. Elle en vit d'autres qui s'installaient pour attendre avec leur chargement – on allait venir les chercher et ils n'avaient aucun souci à se faire. La plupart étaient partis sur la route, à pied. Ils savaient où ils allaient.

Binti resta là jusqu'à ce que le dernier passager soit parti, puis, se retournant, elle sursauta vivement.

Le mont Mulanje se dressait au-dessus de la ville, une fière montagne de roche, ornée ici et là de nuées de brouillard. Il était posé sur un coussin de prairies vert sombre et s'élevait tout droit, comme si, lors d'une petite promenade, il avait décidé que c'était un bon endroit pour s'installer.

Blantyre avait son mont Soche, et ce n'était pas une petite montagne, mais ce n'était qu'une colline, comparée à celle-ci.

Elle fut tirée de sa contemplation par le klaxon d'une voiture qui lui fit comprendre qu'elle gênait le passage. Elle saisit son baluchon, se rangea sur le côté de la route et regarda les deux directions possibles en se demandant laquelle elle devait prendre.

Du côté des épiceries et autres petites boutiques logées dans des bâtiments bas en béton, les porches des immeubles étaient entièrement occupés par des vendeurs à la sauvette. Binti tâta l'argent qu'elle avait en poche. Le voyage avait été long, et une seule banane n'avait pas suffi à lui remplir l'estomac. Mais elle détestait l'idée de dépenser de l'argent pour la nourriture alors qu'elle ne savait pas ce qu'elle allait devoir dépenser par la suite. Elle garda son argent au fond de sa poche et se mit à marcher.

Elle était loin d'être la seule enfant à être ainsi livrée à elle-même. Elle en croisait beaucoup d'autres qui travaillaient, vendaient des babioles ou transportaient de la marchandise sur leur tête. D'autres baguenaudaient et jouaient à différents jeux. Certains riaient, d'autres mendiaient, d'autres encore se faisaient chasser par les marchands des étals.

Binti marcha le long de la route nationale à deux voies. Il y avait moins de voitures qu'à Blantyre ou à Lilongwe, mais plus de bicyclettes, la plupart chargées de gros ballots de bois ou de nourriture. Sur l'une d'elles avait même été installée une chèvre dans un panier. Des chemins de terre partaient de part et d'autre de la route pavée. Binti jeta son regard vers l'un d'eux et vit que de là bifurquaient encore d'autres sentiers. Gogo pouvait se trouver n'importe où sur l'une de ces routes.

« Je ferais mieux de demander mon chemin à quelqu'un, pensa-t-elle, mais à qui ? »

Au sommet d'une colline située derrière la nationale, Binti aperçut une église. Sa grand-mère était très pieuse. Peut-être cette église était-elle celle qu'elle fréquentait. Binti prit cette direction. En s'approchant, elle entendit chanter. Elle avait oublié qu'on était dimanche.

L'église était pleine, on célébrait le culte du matin. Les fidèles chantaient et dansaient devant les bancs de pierre.

L'unique lumière de l'église provenait des petites et étroites fenêtres nichées en haut des murs de pierre. Binti resta au fond de l'église, se demandant comment elle allait pouvoir savoir si quelqu'un ici connaissait sa grand-mère.

Elle décida de faire comme sa grand-mère – marcher jusqu'à l'autel et interrompre le culte. « Ce n'est pas très différent de la fête à l'hôtel », se dit-elle pour se donner du courage. Elle marcha à pas rapides, ce qui ne lui laissa pas le temps de changer d'avis.

Le prêtre était encore en train de chanter. Binti se planta devant lui en espérant qu'il lui demanderait ce qu'elle voulait.

Il se pencha pour lui adresser la parole, tandis que la foule des fidèles continuait à chanter.

— Que puis-je faire pour toi ? demanda-t-il. Tu es seule ?

— Je cherche ma grand-mère, lui répondit Binti à l'oreille. Je suis venue vivre avec elle, mais elle ne le sait pas encore.

— Comment s'appelle ta grand-mère ?

— Precious Phiri.

Le prêtre se redressa et, d'un geste de la main, demanda à l'assistance de cesser de chanter. Il fit se tourner Binti pour que tout le monde la voie.

— Cette petite fille cherche sa grand-mère, dit-il, qui vit quelque part à Mulanje. Est-ce que quelqu'un connaît Precious Phiri ?

— Oui, moi – on entendit la voix d'un jeune homme au fond de l'église.

Il s'approcha.

— Et je connais cette jeune fille, aussi. Je l'ai rencontrée à l'enterrement de ton père. Je m'appelle Jeremiah.

Binti se souvenait. Elle lui serra la main.

— Sa grand-mère vit à une demi-douzaine de kilomètres d'ici, dit Jeremiah au prêtre. Je peux l'y emmener après le service.

— Dieu soit loué, cette jeune fille sera bientôt chez elle, dit le prêtre, et il invita Binti et Jeremiah à rester devant tandis que tout le monde entonnait un chant de prière et de grâces.

À la fin du service, Binti remercia le prêtre et quitta l'église en compagnie de Jeremiah.

— Tu as une grande sœur, non ? Elle est avec toi ?

— Non, je suis seule.

— Elle s'appelle Junie, c'est ça ? Elle va bien ?

— Oui, elle s'appelle Junie, et non, je ne pense pas qu'elle aille bien, mais je n'en suis pas sûre, je ne sais pas où elle est.

Jeremiah s'arrêta.

— Qu'est-ce qui s'est passé ?

Maintenant qu'elle était en sécurité, Binti se mit en colère.

— Notre grand-mère a dit à qui voulait l'entendre que notre père était mort du sida, et à cause de ça le fiancé de Junie a rompu et notre oncle nous a traitées comme des souillons.

— Junie n'est plus fiancée ?

— Tout ça, c'est la faute de notre grand-mère. Il fallait qu'elle aille raconter ce mensonge à tout le monde.

— Ce n'était pas un mensonge, Binti. J'étais avec elle à l'hôpital. Ton père avait bien le sida. Il y a de fortes chances que ta mère soit morte de ça, elle aussi.

Binti se mit à pleurer.

— Mais pourquoi elle s'est crue obligée d'aller le raconter à tout le monde ? Elle a tout flanqué par terre.

— Parfois, la vérité peut blesser, mais le mensonge blesse encore plus.

Jeremiah posa sa main sur l'épaule de Binti.

— Je ne sais pas ce qui s'est passé avec ton oncle, mais j'imagine. Maintenant tu es ici, et tu es la bienvenue. Je vais t'emmener chez ta grand-mère, et tu pourras lui raconter toi-même ce qui s'est passé.

Binti essuya de sa main les larmes qui lui baignaient le visage. Elle demanda d'une toute petite voix à Jeremiah :

— Est-ce que Gogo aura de la place pour moi ?

Il sourit.

— Elle a toujours de la place. Ta grand-mère est quelqu'un de très important. Elle a beaucoup de pouvoir, dans ce quartier. Tu vas voir.

Il traversa la cour de l'église avec Binti et alla récupérer sa bicyclette qui était posée contre un arbre.

Binti commençait à se sentir plus détendue. Si sa grand-mère était un personnage important et puissant, elle devait avoir une belle maison, une maison comme celle de Story Time, avec des gens pour l'aider à la maintenir propre. Peut-être que Gogo était quelqu'un d'important au point de pouvoir lui permettre de retourner travailler à la radio.

« Peut-être même que j'aurai ma chambre à moi », se dit Binti.

Certaines filles, à St Peter's, avaient leur propre chambre. Binti s'était toujours dit qu'elle adorerait ça.

— Tu es déjà montée sur une bicyclette ? demanda Jeremiah.

— Non, jamais. Où est-ce que je m'assois ?

— Tu n'as qu'à te mettre sur ma boîte à fournitures, répondit-il en désignant de la main la boîte en bois attachée sur le porte-bagage.

— Qu'est-ce que tu as dedans ? demanda Binti qui espérait que c'était quelque chose à manger.

Jeremiah l'ouvrit.

— Des préservatifs, des brochures sur le virus du sida, des kits de tests. Je suis assistant social. Je circule avec mon vélo et je parle avec les autres jeunes, enfin avec tout le monde, en fait. Je leur dis qu'il faut se protéger contre le sida et je leur explique ce qu'ils doivent faire s'ils ont le virus.

— Je croyais que les gens mouraient, quand ils avaient le sida, dit Binti en grimpant sur le porte-bagage.

— C'est vrai qu'il n'y a pas de traitement, admit Jeremiah. Dans les pays riches, les gens ont des médicaments qui les aident beaucoup, mais ici bien peu peuvent se les payer. Ça ne veut pas dire que nous sommes impuissants.

Jeremiah prit place sur la selle.

— Pourquoi est-ce que tu dis « nous » ? demanda Binti.

— Je suis séropositif, dit Jeremiah. Bon, tu mets tes bras autour de ma taille et tu t'accroches. Je conduis bien, mais on va prendre des routes qui sont parfois vraiment défoncées.

Binti, les yeux fixés sur le dos de Jeremiah, entendait le mot « séropositif » résonner dans ses oreilles. Elle entendait aussi « Ne touche pas mes enfants », « Ne bois pas dans leur tasse. » Elle eut un moment d'hésitation, mais entoura Jeremiah de ses bras, sans

158

vraiment le toucher, dans un premier temps, puis le tenant fermement quand il se mit à pédaler. Il semblait normal, comme n'importe qui. Bientôt elle oublia cette histoire de séropositivité et se laissa aller au plaisir du trajet en vélo.

Peu de temps après, ils quittaient la nationale et empruntaient les chemins de terre, puis un sentier qui serpentait entre les arbres. Ils passèrent devant des cabanes en argile dont le toit était fait de mottes d'herbe. Ils rencontrèrent des dizaines d'enfants, des centaines de poulets qui piaillaient et voletaient dans les basses branches des arbres. À certains endroits, la route était facile, mais c'était rare. Binti poussait des cris perçants et partait dans de grands éclats de rire à chaque choc et chaque bond de la bicyclette.

Jeremiah s'arrêta au creux d'une clairière. Binti distingua une petite cabane en terre recouverte d'un toit d'herbe, quelques poulets et des tas d'enfants.

— Nous sommes arrivés, dit-il.

— On a dû se tromper..., commença Binti en descendant de la bicyclette.

Jeremiah n'avait-il pas dit que Gogo était quelqu'un d'important ? Où était la grande maison ? Qui étaient tous ces enfants ?

— Ta grand-mère doit être en train de rendre visite à quelqu'un, dit Jeremiah. C'est vraiment grâce à elle que la communauté du village tient debout.

Juste à ce moment-là, une petite femme courbée en deux sortit de la maison. Son regard se posa sur Jeremiah et Binti, plein de surprise, puis son vieux visage se colora d'un large sourire.

— Mais c'est Binti ! s'exclama-t-elle.

Deux secondes plus tard, Binti était dans les bras de sa grand-mère.

— Mais c'est ma petite-fille.

Binti était chez elle. Pour le meilleur et pour le pire.

13

Les autres enfants ne lui réservèrent pas un accueil si chaleureux.

— Voici votre cousine, la présenta Gogo. Elle vient vivre avec nous.

Les tout-petits sortirent le nez des jupes de Gogo et les plus grands continuèrent à pourchasser les poulets. Deux petites filles près du feu gloussèrent et se firent des messes basses. Binti compta trois bébés. Deux étaient allongés sur un matelas de roseau étendu par terre. Le troisième était attaché au dos d'une fille au visage peu accommodant qui avait à peu près le même âge que Binti et qui était en train de touiller du *nsima* dans une casserole avec un grand bâton. Elle était vêtue d'une large chemise d'homme grossièrement rentrée dans une jupe en *chintje*.

— Memory, qui est là, sera contente que tu lui donnes un coup de main, dit Gogo.

Binti sourit et tendit la main à la fille. Memory lui posa en retour son bâton plein de *nsima* au creux de la main.

— Tu n'as qu'à commencer par aider pour la soupe, dit-elle sans un sourire.

— Demain, ce sera suffisamment tôt, pour Binti, dit Gogo.

Binti écarta sa main et l'essuya sur son balluchon, même si elle n'était pas salie.

— Viens t'asseoir à côté de moi et raconte-moi ce que deviennent ton frère et ta sœur.

Gogo poussa l'un des bébés par terre et fit signe à Binti de venir la rejoindre sur l'un des bancs en bois qui se trouvaient devant la cabane. Un petit entreprit de grimper sur les genoux de Binti. Il était crasseux, et Binti n'avait aucune envie de le prendre dans ses bras. Son vieil uniforme d'écolière était de plus en plus miteux mais, au moins, il restait encore à peu près propre.

L'enfant renonça et s'assit à même le sol, aux pieds de Binti.

— Dis-moi comment tu vas, dit Gogo.

Binti lui raconta tout. Elle s'était dit qu'elle négligerait un détail ou deux, comme le vol de l'argent pour payer le bus, mais finalement elle n'omit rien. C'était si bon de parler.

— Je suis désolée de leur avoir fait confiance, dit Gogo. Tous mes meilleurs enfants sont morts jeunes.

Elle resta silencieuse un instant puis reprit :

— Il te reste de l'argent ?

— Non, mentit Binti.

Mais comme Gogo ne la lâchait pas du regard, elle plongea la main dans sa poche et en sortit les billets qui lui restaient.

— Donne-le à Memory, dit Gogo, on fera bon usage de l'argent de Wysom.

Le plus difficile ne fut pas de tendre l'argent ; le pire, ce fut le sourire de triomphe de Memory. Binti eut envie de protester, mais elle sentit que ce ne serait pas la meilleure idée. Après tout, cet argent, elle l'avait volé.

— Il y a peut-être des affaires dans le paquet, dont on peut se servir, aussi, suggéra Memory.

— Tu n'as pas le droit de me voler mes affaires ! s'insurgea Binti. Pas toi aussi !

— Ne te mets pas dans cet état, dit Gogo. Ce que disait Memory, c'est que peut-être tu as des affaires que tu pourrais nous prêter, surtout si tu en as en double.

— Je n'ai rien en double, dit Binti qui défit son balluchon pour le prouver. J'ai une couverture, une chemise de nuit et une jolie robe, c'est tout. Tante Agnes m'a volé tout le reste.

— Et ça, qu'est-ce que c'est ? demanda Memory.

— C'est mon script. C'est le seul qui me reste. Tu n'y touches pas.

— Nous ne touchons à rien de ce qui t'appartient, Binti, lui dit sa grand-mère. Ces affaires sont à toi, et tu en fais ce que tu veux.

Binti referma son balluchon en le nouant solidement et le glissa sous le banc, derrière ses pieds.

Elles conversaient encore lorsque le *nsima* fut prêt.

Binti se rendit aux toilettes avant d'aller manger. Elles étaient situées à l'extérieur de la maison de Gogo. On ne pouvait pas s'asseoir. Binti dut s'accroupir au-dessus du trou. Elle fut soudain prise de panique à l'idée que des araignées ou des serpents ou même des hippopotames surgissent soudain du trou pour l'attraper, et elle sortit de là le plus vite qu'elle put. Elle se lava les mains en se versant de l'eau dessus avec une pelle qui flottait dans un seau.

Depuis qu'elle était arrivée chez Gogo, elle avait secrètement conçu l'espoir que tous ces enfants étaient pour la plus grande partie d'entre eux ceux des voisins. Son espoir fut ruiné quand on servit le repas. D'autres enfants encore apparurent. Binti compta treize convives. Gogo ne possédait que trois assiettes et chacun devait partager. Binti partagea avec quatre des plus petits. Ils mangeaient tous avec leurs doigts, chose que Binti n'avait jamais faite. Elle essaya de faire en sorte que Memory ne se rende pas compte qu'elle l'observait en train de confectionner ses bouchées de *nsima* qu'elle plongeait ensuite dans une sauce de feuilles bouillies. Elle ne comprenait pas comment Memory s'y prenait pour procéder si aisément et si soigneusement.

La nuit était tombée, et ils mangeaient non loin du feu qui s'éteignait doucement, avec le charbon qui dispensait juste assez de lumière pour qu'ils y voient un peu.

— Autrefois, il y a très, très longtemps, il n'y avait pas d'étoiles dans le ciel, dit Gogo en prenant l'un des petits sur ses genoux. C'est une petite fille qui a mis les étoiles là-haut. Elle faisait un long voyage, et la nuit était noire comme de l'ébène. Elle a fait un petit feu, puis a envoyé les étincelles du feu vers le ciel. Elles lui ont éclairé sa route dans le noir et c'est comme ça que nous avons des étoiles.

Elle embrassa le petit qui s'était endormi et saisit la main de Binti qu'elle serra dans la sienne. Une fois que tout le monde eut mangé, Memory alluma une bougie et entra dans la cabane. Elle en ressortit quelques minutes plus tard.

— Les matelas sont prêts, annonça-t-elle en prenant deux des petits avant de retourner à l'intérieur.

Gogo voulut se mettre debout, mais elle vacilla ; Binti lui vint en aide.

— Assez parlé pour aujourd'hui, dit Gogo qui rentra à son tour.

Les autres enfants la suivirent.

Binti prit son balluchon et resta debout dans l'entrée.

— Où est-ce que je dors ?

— Eh ben, dehors, ça te dirait ? répondit Memory.

— Binti ne mettra pas longtemps à s'habituer à tes blagues, dit Gogo en s'allongeant sur un matelas de roseau.

— Choisis un endroit, exigea Memory. Dépêche-toi. Il faut que cette bougie nous dure longtemps.

Il n'y avait aucun endroit où Binti avait envie de se coucher. Il n'y avait pas de place libre, nul endroit qui ne soit déjà occupé par un enfant crasseux. Et il n'y avait aucune couverture.

« Je ne partage pas la mienne, se dit-elle. Elle est à moi. »

Elle défit son balluchon. La nuit était glacée et

elle ne voulait pas se changer devant tout le monde. Elle dormirait dans son uniforme, juste cette nuit. Le blazer lui tiendrait chaud. Elle enveloppa sa jolie robe dans sa chemise de nuit pour se faire un oreiller puis installa le tout à l'endroit où il y avait le plus de place libre, près de la porte.

— On peut partager ta couverture ? demanda l'une des petites filles.

Binti fit celle qui n'avait rien entendu. Si elle commençait, elle allait devoir tout partager, et elle n'aurait plus rien.

Memory souffla la bougie alors que Binti n'était pas encore allongée. Binti fut plongée dans le noir, une obscurité plus sombre encore, plus complète que ce qu'elle avait jamais vu.

— Eh !

— Couche-toi et dors, Binti, dit Gogo. Le jour va venir vite et tu pourras jouer avec tes cousins.

Binti entendit qu'on gloussait. Elle détestait qu'on se moque d'elle. Si seulement elle était encore préfet des élèves et pouvait leur donner à tous une punition. Si seulement elle pouvait revenir à Blantyre et dormir dans un lit moelleux, à côté de sa sœur.

Elle craignait de marcher sur l'un des petits en avançant dans la pièce, aussi se laissa-t-elle tomber là où elle se trouvait, tâtonnant pour attraper son oreiller de fortune. Les enfants s'agitèrent pour lui faire un peu de place.

Binti ne cessait de changer de position, essayant de trouver la plus confortable, sur ce couchage à même le sol. Un moustique vint lui bourdonner dans les oreilles. Non loin d'elle, elle entendait quelqu'un claquer des dents, c'était peut-être le froid, ou peut-être la malaria. Elle essaya de ne pas entendre, sans y parvenir. Elle étendit un bout de sa couverture sur l'enfant allongé à côté d'elle en espérant qu'elle pourrait en garder le plus possible pour elle, mais elle sentit les petites mains qui la saisissaient et la tiraient. Elle laissa faire et se pelotonna un peu plus dans son blazer. Quelques minutes plus tard, le claquement de dents avait cessé.

« Demain je partirai d'ici », décida-t-elle.

Et ce fut sa dernière pensée, cette nuit-là, avant de s'endormir.

Elle fut réveillée par les coqs. Un coq en réveilla deux autres, et à eux trois ils réveillèrent toute la basse-cour. Puis les volatiles réveillèrent les chiens, et les oiseaux se mirent à chanter.

Même si Binti avait réussi avec tout ça à continuer à dormir, avec Memory c'était de toute façon impossible.

— Va chercher de l'eau, dit Memory penchée

au-dessus d'elle, en lui tenant un seau. Machozi, montre-lui où est la pompe.

— Tu n'as pas à me donner d'ordres, dit Binti. Gogo a dit que nous avions le même âge.

— Ouais, c'est ça, fais ton cinéma, dit Memory. On a besoin d'eau.

— Laisse-moi d'abord me réveiller.

— Tu m'as l'air suffisamment réveillée.

Machozi était la plus grande des deux petites filles qui gloussaient et faisaient leurs messes basses, et les deux étaient inséparables. L'autre s'appelait Gracie. Binti leur donnait à peu près six ou sept ans.

— Ce n'est pas loin, dit Machozi. Avant, on prenait l'eau à un étang et ça a rendu tout le monde malade, mais des gens du Canada nous ont construit une pompe.

— Tu sais où c'est, le Canada ? demanda Gracie.

Elle avait presque la même voix que Machozi, on aurait dit deux oisillons qui gazouillaient.

— Au Malawi ?

« Tu viens d'où ? » « Tu es une vraie cousine ou une fausse cousine ? » Les questions fusaient. Tour à tour, chaque enfant en posait une, si vite que Binti ne pouvait répondre à toutes. Elle en avait quatre en retard quand ce fut à son tour de demander :

— Qu'est-ce que c'est, une fausse cousine ?

— Une fausse cousine, c'est... une fausse cousine.

Binti n'était pas beaucoup plus avancée et elle garda la question pour plus tard. Elle la poserait à Gogo.

Les sentiers serpentaient au milieu des bois et des clairières, et étaient parsemés de petites cabanes. Toutes étaient construites sur le même modèle que celle de Gogo. Binti savait qu'elle risquait de se perdre si elle devait venir chercher de l'eau toute seule.

— Dépêche-toi, la pressa Machozi, tu n'as pas envie de faire la queue, hein ?

Elles foncèrent en avant et Binti dut courir pour les rattraper.

La file d'attente des femmes devant la pompe était déjà longue. Binti prit place derrière une femme qui portait un bébé sur le dos. Machozi et Gracie la laissèrent là et prirent la poudre d'escampette.

— Revenez, cria Binti, je ne sais pas où je suis !

C'étaient les mots à ne pas dire.

— Tu te crois où ? demanda la femme en blaguant. Tu aurais envie d'être où ?

Binti devint cramoisie et baissa les yeux.

— Ne fais pas attention à nous, dit une autre femme. C'est notre manière à nous de nous amuser.

Mais Binti n'était pas d'humeur à plaisanter. Elle avait faim, elle sentait un début de rhume, tout ce qu'elle voulait c'était de l'eau, du savon et des vêtements propres.

Les femmes la laissèrent tranquille. Elle les regarda s'activer à la pompe pour savoir comment s'y prendre quand ce serait son tour. L'une après l'autre, les femmes soulevaient leur seau et leur bassine pour les poser sur leur tête, puis repartaient à pied sur les sentiers.

Binti remplit son seau et reprit le chemin qu'elle croyait être celui qui menait à la maison de Gogo. Elle n'avait pas fait cent mètres qu'elle se rendit compte qu'elle était bel et bien perdue. Elle posa son seau par terre et se mit à pleurer.

— Pourquoi tu ne portes pas ton seau sur la tête ?

Tout d'un coup, elle vit Memory devant elle. Binti essuya ses larmes.

— C'est une vieille méthode, dit-elle, sans vouloir avouer qu'elle ne savait comment faire.

— Ah oui, et porter un seau plein d'eau à la main, c'est la méthode moderne, comme ça tu te fais mal à l'épaule et tu renverses la moitié de l'eau en chemin.

Memory saisit le seau, l'éleva au-dessus de sa tête et l'y posa, se servant d'une main pour le stabiliser, puis reprit sa marche rapide sur le sentier. Binti suivait derrière, tout près. Elle n'allait pas se perdre à nouveau.

Le reste de la journée fut du même ordre. Memory s'y prenait mieux pour tout, y compris lorsqu'il s'agissait de faire la toilette des enfants (à l'eau froide, sans savon), la vaisselle et le ménage. Binti était systématiquement maladroite et Memory ne cessait de la surveiller en faisant la fière.

Binti se dit qu'elle avait eu des quantités de choses à faire, chez elle à la maison. Chez oncle Wysom, aussi. Mais chez Gogo, il y avait encore plus de travail et tout était bizarre et nouveau pour elle.

Elle apprit des quantités de choses, ce premier jour. Elle apprit le chemin de la pompe à eau et comment rentrer à la maison. Gogo n'avait qu'un seul seau, pour douze enfants. Binti alla si souvent chercher de l'eau qu'à la fin de la journée elle était certaine de pouvoir trouver la pompe même au cœur de la nuit la plus noire.

Une autre chose qu'apprit Binti est que Gogo avait très peu à manger.

— On mangera demain, dit Memory à Binti quand celle-lui lui fit savoir qu'elle avait faim. D'abord, on va à l'école, puis on va au centre d'alimentation. On mangera là-bas.

Binti se réjouit à l'idée d'aller à l'école. Peut-être qu'elle pourrait redevenir préfet des élèves. Si jamais c'était le cas et que Memory ne l'était pas, elle pourrait lui donner des ordres, tout au moins à l'école.

— Pourquoi est-ce qu'il n'y a rien à manger ? demanda-t-elle à Memory.

— Parce que ton père est mort.

Sur le moment, Binti ne comprit pas. Puis tout s'éclaira d'un coup :

— C'est vous, les cousins !

Elle dut s'asseoir. Elle regarda autour d'elle tous ces enfants vêtus de haillons, et cette maison faite de torchis et de paille. Elle sentit son ventre se tordre sous l'effet de la colère.

— Mais il a envoyé des millions !

— Gogo l'a distribué à tout le monde. « Tout le monde a besoin de manger », elle disait. On sortait à peine la tête de l'eau, là-dessus un voisin mourait, sa famille avait besoin d'argent pour l'enterrement, et voilà où nous en sommes. Comment veux-tu faire des projets ?

— Tu me fais penser à Junie, marmonna Binti.

— Si tu trouves ça trop dur pour ta petite personne, tu peux toujours t'en aller.

Binti perçut une pointe d'espoir dans la voix de Memory.

— Ne sois pas stupide, dit-elle, pourquoi est-ce que j'aurais envie de partir ?

La troisième chose qu'elle apprit ce jour-là fut que Gogo avait une idée bien arrêtée sur certains sujets.

— Gogo, est-ce que Memory est une vraie cousine ou une fausse ?

Binti était bien en peine de le dire. Elle n'avait pas rencontré tous ses oncles et tantes, et donc elle ne savait pas à quoi pouvaient ressembler leurs enfants.

Gogo avait le dos courbé sous le poids des ans, mais Binti aurait juré qu'elle avait vu à ce moment-là sa colonne vertébrale se redresser tandis que la vieille dame la regardait droit dans les yeux.

— Les faux cousins, ça n'existe PAS ! Vous êtes tous mes petits-enfants, et vous êtes tous de vrais cousins. C'est compris ?

Binti fit signe que oui.

Elle se dit qu'elle demanderait à Machozi quels cousins étaient les vrais et lesquels étaient les faux. Mais Machozi le rapporterait sans doute à Gogo, ce qui la rendrait furieuse. Cela n'avait pas d'importance. Que Memory soit une vraie ou une fausse cousine, le destin de Binti était lié au sien.

14

— On a classe deux jours par semaine, expliqua Memory à Binti le lendemain. Avant, on y allait tous les jours, mais nos professeurs sont morts les uns après les autres. Ceux qu'on a maintenant font la tournée des écoles.

— Deux jours par semaine, ce n'est pas beaucoup, fit observer Binti.

— Pendant presque un an, on n'a pas eu d'école du tout.

Binti était désespérée par l'état de son uniforme. Elle le brossa du dos de la main mais cela ne fit pas grand-chose à l'affaire. Non seulement il était crasseux, mais c'était l'uniforme d'une école où elle n'allait plus. Elle craignait de ne pas être acceptée parce qu'elle ne serait pas habillée comme il le faudrait.

— Où est ton uniforme ? demanda-t-elle à Memory.

Celle-ci fronça les sourcils et regarda ailleurs.

« Elle ne doit pas en avoir », se dit Binti.

Ce n'était pas grave, pour les petits, mais Memory devait être gênée de se présenter avec une tenue différente de celle des autres.

C'est Binti qui était la seule à être habillée différemment. Les autres élèves portaient leurs vêtements de tous les jours. Memory, debout dans la cour de l'école en train de chanter l'hymne national du Malawi pendant le lever du drapeau, n'avait pas l'air gêné le moins du monde.

Après quoi ce fut le moment de la prière, où l'on souhaita à chacun une bonne journée de travail, puis les enfants se répartirent en deux groupes.

Il faisait soleil, et la classe avait lieu à l'extérieur. Les plus jeunes avaient leur propre professeur et plusieurs grands-parents venaient leur prêter main-forte. Ils s'assirent tous ensemble sur des pierres qu'ils avaient disposées en rangs devant un tableau fait d'un morceau d'ardoise.

Les élèves plus âgés étaient moins nombreux.

Binti faisait partie de ce groupe. Ils s'assirent eux aussi sur des pierres, de l'autre côté de la clairière, pour ne pas être gênés par le brouhaha des petits qui récitaient leurs tables et leur alphabet. Il n'y avait ni livre, ni cahier, ni crayon. Le professeur dessina le schéma d'une plante sur ce qui servait de tableau, puis les élèves durent trouver une fleur des champs et donner le nom des différentes parties. Ensuite, il y eut le cours de mathématiques et une leçon d'anglais.

Binti était bien plus forte que les autres en anglais, car c'était la langue qu'on utilisait à St Peter's. Elle fut surprise, en revanche, de voir que les autres étaient bien meilleurs qu'elle en fractions. Comment cela était-il possible, alors qu'ils travaillaient sans livre ?

Entre les cours, il y avait des jeux et des chansons, et le professeur donna à tout le monde une leçon de nutrition. La journée de classe s'acheva en début d'après-midi.

Binti fut contente que cela se termine. La pierre était un siège plutôt inconfortable. À St Peter's, elle avait son pupitre à elle. Elle n'aimait pas en savoir moins que les autres et elle trouvait difficile de se concentrer le ventre vide.

— Va chercher les autres, dit Memory. Vérifie bien qu'on n'en laisse pas en chemin.

Binti n'avait pas encore tout à fait mémorisé le nom de chacun, mais elle identifiait tous les visages. Et eux avaient l'habitude de ce qu'il fallait faire, ce qui facilitait les choses. Ils se rassemblèrent autour de Memory qui put les compter et être sûre que tout le monde était bien là.

— C'est bon, allons-y, lança-t-elle.

Les plus jeunes restèrent près de Memory et de Binti, les plus grands se lancèrent dans une course sur le sentier.

Au bout de quelques minutes de marche, ils arrivèrent à une autre clairière. De nombreux autres enfants se trouvaient là.

— Où sommes-nous ?

— Au Club des Orphelins, dit Memory. Tu vas rester plantée là, ou tu vas venir aider pour la cuisine ?

Memory reprit son chemin. Binti l'appela.

— Tous ces enfants sont des orphelins ?

Il y avait autant d'enfants dans la clairière qu'à St Peter's.

— Tu croyais que tu étais la seule ?

Ils étaient au moins deux cents. Binti, trop affamée pour réfléchir à cela, suivit Memory. Comme d'habitude, Memory savait parfaitement ce qu'elle devait faire. Elle n'était pas la seule. D'autres enfants venus d'autres écoles étaient également occupés. Ils aidaient les petits à ramasser du bois pour les vieilles femmes qui faisaient cuire du *nsima* et des haricots dans de grandes marmites. Binti aperçut Gogo parmi les femmes qui s'occupaient des bébés et des tout-petits. Elle regarda Memory prendre le bébé que tenait Gogo et l'installer sur son dos.

— Toi, la fille, viens nous aider, dit l'une des vieilles femmes en interpellant Binti.

On la chargea de remuer les haricots. La fumée du foyer lui venait en plein visage. Cela n'avait rien à voir avec la cuisine sur la cuisinière dans son ancienne maison.

— Pas comme ça. Vas-y avec tout ton corps ! lui dit la vieille femme en la poussant rudement.

La marmite était immense et Binti remuait avec une énorme planche.

— De toute ton épaule, sinon les haricots vont brûler et la nourriture va se perdre.

Binti faisait ce qu'elle pouvait, mais la fumée lui remplissait les yeux de larmes et elle ne pouvait s'y prendre comme il l'aurait fallu, ou du moins comme la vieille femme l'aurait souhaité. Elles se moquèrent d'elle.

— Cette fille n'a jamais remué de sa vie une marmite de haricots.

— Elle sait faire d'autres choses, dit Gogo en

prenant sa défense. Fichez le camp d'ici, les mômes. Allez voir Memory, elle vous donnera des choses à faire.

— Aidez-nous à déplier les matelas, dit Memory.

De grands matelas de paille étaient roulés et empilés contre le mur d'un bâtiment inachevé. Binti aida à les étendre sur la terre poussiéreuse. Les autres en firent autant. Les enfants prenaient grand soin de s'acquitter très sérieusement de leur tâche. Binti entendit un bruit métallique. L'une des femmes donnait des coups de bâton sur un vieux couvercle qu'on avait accroché à la branche d'un arbre.

Tous les enfants se précipitèrent à l'endroit où les matelas avaient été installés. L'un des adultes les accueillit.

— Hello, les enfants. Vous avez travaillé dur, aujourd'hui, à l'école ?

— Oui !

— C'est bien, parce que les enfants qui ne vont pas à l'école ne peuvent pas venir au Club des Orphelins. On va chanter tous ensemble une chanson, une chanson gaie et pleine de joie, parce que, aujourd'hui, c'est un jour gai et plein de joie.

Binti, debout parmi les autres enfants, ne connaissait pas les paroles ni les mouvements pour danser sur la musique, mais c'était facile, et au bout de quelques minutes elle chantait avec tous les autres.

Ensuite, ce fut le moment de la prière, pour remercier pour la nourriture qu'ils allaient manger, puis les plus grands aidèrent les petits à se laver les mains à une pompe placée à l'orée de la clairière. Il n'y avait pas de savon, mais les enfants s'enlevèrent la terre qu'ils avaient sur les mains du mieux qu'ils purent sous l'eau froide.

Il y avait presque assez d'assiettes pour tout le monde. Binti en avait une pour elle, et elle fit la queue pour une louche de haricots et une autre de *nsima*. Ce fut le silence absolu dans la clairière quand les enfants se concentrèrent sur leur repas. C'était délicieux, et Binti se régalait. Quand elle eut terminé, elle avait vraiment envie de chanter et de danser.

Chaque enfant lava son assiette, même les tout-petits, puis ils se rassemblèrent pour chanter à nouveau.

— On peut t'emprunter ton blazer pour une pièce de théâtre ? demanda un garçon à Binti.

Elle serra le vêtement sur sa poitrine d'un air méfiant.

— C'est le mien.

— On te le rendra, assura le garçon. On n'est pas

des voleurs. On veut juste l'utiliser pour notre pièce.

Binti ne voulait rien savoir. Mais elle eut finalement une idée.

— Vous pouvez m'emprunter mon blazer si je joue dans votre pièce.

— Tous les grands rôles sont pris, dit le garçon, mais tu peux jouer l'une des sœurs.

Il conduisit Binti vers le groupe d'enfants qui étaient serrés les uns contre les autres près d'un arbre, en train d'écrire la pièce.

— Je vous présente... comment tu t'appelles, déjà ? demanda le garçon.

— Binti.

— Binti. On va prendre le blazer.

Elle l'ôta et le lui tendit.

— Où est le script ? demanda-t-elle.

— Comment ça ?

— L'histoire..., commença-t-elle.

— Ils nous attendent, dit une fille. On n'a pas le temps de te raconter toute l'histoire.

— Tu es l'une des sœurs, dit le garçon en lui indiquant les deux autres filles. Tu n'as qu'à faire comme elles.

Le groupe pénétra dans la clairière et s'installa devant le public qui attendait. La pièce parlait d'un oncle, un pauvre bougre, joué par le garçon au blazer, qui avait recueilli les enfants de son frère quand ils étaient devenus orphelins. Sa famille et lui maltraitaient les enfants. Ce n'était pas exactement ce qui était arrivé à Binti, mais bien des scènes lui parurent familières. La pièce se terminait bien, cependant. L'oncle contractait le sida auprès d'une prostituée, il contaminait sa femme et ils mouraient tous deux. Dans la dernière scène, les orphelins organisaient une fête dans la maison de l'oncle qui, désormais, leur appartenait.

Binti ne lâcha pas d'une semelle les filles qui jouaient ses sœurs. Elle détestait ne pas savoir ce qui allait venir et ce qu'elle était censée jouer. Il lui manquait le script et la présence de M. Wajiru qui la rassuraient.

— Tu n'avais encore jamais joué, hein ? lui demanda le garçon en lui rendant son blazer.

— Bien sûr que si, j'avais déjà joué, répliqua-t-elle, mais toujours avec un script.

— C'est quoi, un script ? demanda l'une des filles.

— Une feuille avec les répliques de la pièce.

— N'importe qui peut jouer si on lui donne les répliques, dit le garçon. Mais ne t'inquiète pas, tu feras mieux la prochaine fois.

Sur le chemin du retour, Binti réfléchissait à ce que lui avait dit le garçon. Elle n'était pas d'accord avec lui – si n'importe qui pouvait jouer, pourquoi est-ce qu'on l'avait choisie, *elle*, pour l'émission de radio, et non pas les autres enfants qui avaient été auditionnés ? Elle essaya de penser à des arguments qu'elle pourrait lui présenter pour le remettre à sa place la prochaine fois qu'elle le verrait. Puis elle se souvint combien elle s'était sentie empotée pendant l'intrigue et à quel point les autres enfants paraissaient à leur aise, à créer la pièce au fur et à mesure qu'ils la jouaient. Peut-être pouvait-elle apprendre là quelque chose, après tout.

Elle y repensa encore tandis qu'elle préparait les petits pour qu'ils aillent se coucher, et elle y pensait toujours au moment de s'endormir. Elle ne se rendit même pas compte que sa couverture servait à tenir chaud à cinq enfants, cette nuit-là.

15

Petit à petit, la vie avec Gogo et les cousins parut moins étrange à Binti. Elle se levait au premier chant du coq et avait à faire toute la journée. En général, à la tombée de la nuit, elle était contente d'aller se coucher. Et avec la fatigue, il lui était plus facile de s'endormir.

Les premières heures de la nuit se passaient plutôt bien, car elle entendait les autres circuler autour d'elle pour s'installer sur leur couche. Le moment le plus dur, c'était lorsqu'elle se réveillait en pleine nuit, quand tout le monde dormait et qu'on n'entendait aucun bruit. Là, elle se sentait très seule.

Elle essayait d'entendre son père dans la chambre à côté qui avait du mal à respirer, ou son frère dans le salon en train de dessiner à la lumière d'une bougie. Elle voulait avoir toute la couverture pour elle et Junie allait se réveiller et la gronder. Mais il n'y avait ni Bambo, ni Junie, ni Kwasi.

Les cousins étaient là par roulement, pour ainsi dire. Ce n'étaient jamais les mêmes. Parfois les bébés étaient au nombre de quatre, parfois il n'y en avait qu'un. Certains jours, un petit s'en allait et, peu après, un autre venait le remplacer.

— Gogo s'occupe des enfants quand leurs mères sont trop malades pour le faire, lui expliqua Memory.

Elle était en train de concasser des épis de maïs avec un gros pilon dans un tronc de bois évidé.

— Alors, ils ne sont pas *tous* de vrais cousins.

— À ton avis, il y en a qui ne sont pas assez bien pour être tes cousins ? demanda Memory en donnant un coup de pilon un peu plus fort.

— Ne sois pas susceptible comme ça, dit Binti.

Elle désigna du menton le bébé que Memory portait, comme d'habitude, sur son dos.

— Quand est-ce qu'il retourne chez sa mère, lui ?

Memory donna un coup de pilon si fort que le

186

maïs rebondit, sauta hors du tronc et se répandit par terre dans la poussière.

— *Elle* ! C'est une fille ! Tu ne t'en étais même pas rendu compte ! Tu ne sais même pas comment elle s'appelle.

Elle planta là Binti et la laissa nettoyer le maïs éparpillé.

Binti chassa du pied les poulets qui étaient déjà en train de picorer les grains. Elle ramassa ce qui constituait le repas de la famille, puis saisit le lourd pilon qui était presque aussi haut qu'elle. Ses bras furent bientôt endoloris à force de pilonner les grains. La colère et la faim qui la tenaillaient l'aidèrent à en venir à bout.

Il y avait juste assez de maïs pour un seul repas. Une fois les grains concassés, Binti les plaça dans un van et les passa au tamis pour en recueillir la farine. Elle répartit celle-ci sur un tissu à même le sol pour la faire sécher. Elle chargea Machozi et Gracie de tenir les poulets éloignés. Elle se sentait fière de faire tout cela sans être aidée – ou critiquée – par Memory.

Elle alla remplir un seau d'eau. À son retour, elle vit Memory assise dehors sur le banc à côté de Gogo. Elle était en train d'allaiter le bébé.

Binti ne sut que penser.

— Mais comment tu fais ? bredouilla-t-elle. Je

veux dire, je croyais qu'il fallait avoir mis au monde un enfant, pour pouvoir...

— C'est ma fille, dit Memory.

Binti resta sans voix. Elle s'assit à côté de Memory.

— Gogo disait que je devais t'en parler. Elle disait que tu devais savoir, mais que tu le saches ou non, je m'en fiche.

Memory parlait d'un ton provocateur, mais elle gardait les yeux baissés.

— Memory vivait avec son oncle, dit Gogo, Dieu merci, ce n'était pas un de mes enfants. L'amie de son oncle avait le sida. Memory n'était jamais allée avec personne, alors cet homme s'est dit que ça le guérirait s'il la faisait aller avec lui.

Binti ne comprenait rien.

— Aller avec lui où ?

— Aller avec lui comme si elle était sa femme.

Il fallut un moment à Binti pour enfin comprendre ce que Gogo voulait dire. Elle eut envie de vomir.

— Ça ne l'a pas guéri, dit Memory. Il a toujours le sida. Il me l'a passé, et il m'a donné ce bébé.

Binti ne pouvait même pas la regarder. Memory n'était pas plus âgée qu'elle.

— Quand je suis arrivée ici, j'ai voulu tout oublier, mais Gogo me l'a interdit. Elle a dit que je devais changer de nom, et m'appeler Memory, « mémoire », comme ça, tous les jours où je me rappellerais cette histoire seraient une malédiction pour cet homme. Elle dit que la malédiction sera plus efficace si je suis vivante et que je vais bien.

— Ça ne sert à rien de cacher les choses, dit Gogo. Les secrets, ça rend encore plus honteux. Memory n'a à avoir honte de rien. C'est une fille bien, et une bonne mère.

Binti n'arrivait pas à s'imaginer avec un bébé. Elle n'y arrivait pas, tout simplement. Sa tête fourmillait de pensées et de questions. À sa grande surprise, il n'y en eut qu'une à laquelle, finalement, elle eut besoin qu'on réponde sur-le-champ.

— Comment est-ce qu'elle s'appelle ?

— Beauty, dit Memory.

Elle passa le bébé à Binti. C'était la première fois qu'elle prenait un bébé dans ses bras. La petite, toute frêle, bâilla ; son visage était beau ; elle parut se détendre. Elle ressemblait à Memory.

Des petits dans la cour qui avaient fini leur jeu grimpèrent sur les genoux de Gogo et de Memory. L'un d'eux s'appuya sur Binti. Ils restèrent tous assis sur le banc, ensemble, à regarder l'après-midi s'éteindre tout doucement.

16

— Alors, tu t'y fais, ici ? demanda Jeremiah à Binti.

Il rendait visite à Gogo, profitant de la tournée d'information sur le sida qu'il était en train d'effectuer.

Binti réfléchit. La vie était dure chez Gogo, mais c'était dur pour tout le monde, pas seulement pour elle parce qu'elle était orpheline. Chez oncle Wysom, elle avait eu plus à manger et était plus propre, mais elle n'avait pas été plus heureuse. Ici, chez Gogo, elle avait souvent faim, froid la nuit, et son uniforme d'écolière disparaissait sous la terre rouge du Malawi, mais elle avait l'amour de sa grand-mère et elle accomplissait des tâches pour des gens qui comptaient à ses yeux.

— Oui, je m'y fais, dit-elle.

— Vous avez besoin de quelque chose ?

— On a besoin de savon, de couvertures, de nourriture, de livres et de plus de vêtements pour les enfants.

Et tout en énumérant, elle comptait sur ses doigts.

Jeremiah éclata de rire.

— Toi et les autres, venez voir par ici.

Deux des petits garçons accoururent immédiatement.

— Tu as dit que tu nous en apporterais un !

— J'en ai apporté quatre, dit-il.

Il plongea la main dans sa boîte en bois et en ressortit quatre sacs en plastique, le genre de sac qu'on donnait à Binti quand elle allait faire les courses au marché, autrefois, à Blantyre.

— J'en avais trois pour vous, mais je viens juste d'en trouver un quatrième.

Les garçons étaient tellement excités qu'ils ne songèrent même pas à remercier. Ils saisirent les sacs et partirent à toutes jambes.

— Pourquoi ont-ils besoin de ces sacs ? demanda Binti.

— Tu vas voir. Dis-moi, pourquoi est-ce que tu n'essaierais pas de gagner un peu d'argent ? Comme ça, tu pourrais acheter des centaines de choses dont tu as besoin.

— Tu veux dire aller travailler en dehors d'ici ? Il y a une radio, dans la région ?

— Une radio, je ne crois pas, mais penses-y, il te viendra peut-être une idée. Tu voulais me dire autre chose ?

— Je dois retrouver mon frère et ma sœur, dit-elle. Mais c'est trop demander, sans doute.

— Pas forcément, dit Jeremiah. Je suis en relation avec des groupes de soutien sur le sida qui travaillent un peu partout dans le pays. Peut-être qu'on va pouvoir les trouver.

Il prit un crayon et un calepin.

— Dis-moi leurs noms.

Binti les lui donna, puis continua :

— Mon frère est là-haut à Monkey Bay avec notre oncle qui s'occupe d'une pêcherie. Je ne sais pas où est Junie.

Elle fit un pas en direction de Jeremiah et regarda autour d'elle pour être bien sûre que personne ne pouvait l'entendre.

— Avant de quitter Lilongwe, elle gagnait de l'argent pour nous deux en étant gentille avec les hommes. Elle disait qu'elle allait s'en aller et gagner assez d'argent pour qu'on puisse vivre tous ensemble.

Binti eut un moment d'hésitation.

— Peut-être qu'à nouveau elle se montre gentille avec les hommes, tu sais, pour de l'argent. Tu as une idée de l'endroit où elle pourrait se trouver ?

Jeremiah réfléchit.

— Non, mais peut-être que d'autres gens pourraient le savoir. Je vais voir ce que je peux trouver comme renseignement.

Il rangea son calepin.

— Jeremiah ? demanda Binti d'une voix hésitante.

Elle voulait demander quelque chose, mais c'était personnel et délicat.

— Est-ce que Memory a le sida ?

— Elle est séropositive, ce qui signifie qu'elle a le virus qui donne le sida.

— Et son bébé ?

— Beauty aussi. Elle l'a peut-être attrapé à la naissance, ou peut-être par le lait de Memory. Ta grand-mère voulait qu'on leur fasse le test, et Memory était d'accord.

— Est-ce qu'elles vont mourir ?

Jeremiah s'appuya sur sa bicyclette.

— Les bébés qui sont séropositifs ne vivent pas très longtemps, en général, au Malawi, ce n'est pas comme dans les pays qui ont les bons médicaments. Mais les miracles, ça arrive. Les gens, même au Malawi, peuvent vivre longtemps avec le VIH s'ils ont un bon régime alimentaire et des gens qui les aiment.

— Qu'est-ce que je dois faire ?

— Tu ne l'attraperas pas en vivant avec elles.

— Non, je veux dire : qu'est-ce que je dois faire pour... pour les aider ?

Jeremiah sourit :

— Sois comme leur famille, et qu'elles soient comme ta famille.

Il remonta sur son vélo et s'apprêta à repartir pour sa destination suivante quand une troupe de garçons traversa la cour en éclatant de rire. Ils jouaient au football. Binti se demanda où ils avaient trouvé le ballon, puis se rendit compte que c'étaient les sacs en plastique, noués en petits ballots, qui en tenaient lieu.

— Ils font collection de sacs depuis des lustres, dit Jeremiah avant de prendre congé.

Binti s'assit et les regarda jouer, veillant à ce que les joueurs ne s'approchent pas trop de la farine de *nsima* qu'elle avait étalée pour la faire sécher.

Jeremiah fit un exposé sur le sida le lendemain, au Club des Orphelins, et assista à la pièce que montaient Binti et d'autres enfants. Cette fois-là, ils se servirent du script de Binti. Elle jouait Gogo. Elle avait essayé de convaincre tous les acteurs de connaître leur rôle par cœur, en lisant leur texte des dizaines de fois à ceux qui ne savaient pas lire. Mais ils continuaient à dire les répliques qui leur passaient par la tête au fur et à mesure que la pièce se déroulait. Binti était tellement contente de jouer Gogo que le reste lui fut égal.

— On a une surprise pour toi, Binti, lui annonça Gogo un soir.

Des voisins entrèrent dans la cour, les bras chargés de bois pour le feu.

— On va se faire un petit plaisir, tous.

— C'est bon, faites silence. Ça commence.

Quelqu'un apporta une radio à ressort, un appareil qui fonctionne sans pile, l'alluma, et tout le monde autour du feu se tut.

On entendit le générique d'ouverture de *Gogo et sa famille*. Binti eut envie de pleurer. Tout en écoutant, il lui revenait en mémoire les moments passés au studio, il lui revenait ce sentiment d'être différente des autres, et combien elle avait adoré entendre le directeur leur répéter sans cesse : « Parlez comme si vous étiez les gens qu'on croise dans la rue, soyez naturels ! »

— C'est ma petite Binti, qui parle dans le poste, dit Gogo.

Les voisins applaudirent. Ils voulaient savoir comment elle pouvait à la fois être dans la radio et assise avec eux à Mulanje.

— Raconte-nous ce que ça fait d'être à la radio, insistèrent-ils.

Binti, d'abord, fut intimidée, mais bientôt elle s'enhardit, tandis que l'auditoire riait et applaudissait. Elle alla jusqu'à imiter le directeur qui demandait aux acteurs de rejouer la scène.

Pendant quelques jours après cette soirée, Binti fut appelée « la fille de la radio ». Il y eut une autre émission la semaine suivante, et on la pria de raconter à nouveau son histoire. Elle modifia quelques détails, jouant l'un des acteurs de l'équipe qui faisait tous ses efforts pour ne pas éternuer pendant l'enregistrement. Même Memory éclata de rire.

La plupart des habitants du village n'étaient jamais sortis du Mulanje. Beaucoup ne s'étaient même jamais aventurés hors du village. Binti se mit à leur place, elle réfléchit à ce que ce devait être d'écouter les histoires qu'elle racontait.

Elle eut envie d'être la Binti d'autrefois.

Puis, dans la semaine qui suivit, un soir où tout le monde était réuni autour du feu, ce fut la voix d'une autre fille qu'on entendit dans le poste. Une autre fille jouait le rôle de Kettie. C'était officiel : Binti ne faisait plus partie de la radio.

— Ce n'est pas ta voix, dit quelqu'un. La fille de la radio prétend qu'elle est Kettie, mais c'est toi qui es censée l'être.

— Quand j'ai dû quitter Blantyre, ils ont embauché quelqu'un d'autre pour jouer Kettie à ma place, expliqua Binti en essayant de faire comme si cela ne la touchait pas.

— Et nous sommes bien plus contents de l'avoir ici avec nous que loin dans le poste de radio, dit Gogo.

L'assistance écouta l'épisode. Binti resta avec eux. Elle mourait d'envie de se lever et de s'enfuir en courant, mais elle ne voulait pas accorder à cela plus d'importance que cela n'en avait. Et alors qu'elle essayait de ne pas trop prêter attention à ce qu'elle entendait, elle se surprit au contraire à écouter attentivement. Parfois, elle pensait qu'elle aurait mieux dit une réplique que la nouvelle actrice, mais ensuite elle se laissait de nouveau emporter par l'histoire.

À la fin, les voisins eurent l'air aussi ravis que lorsque c'était Binti qui jouait.

« Il ne reste plus rien, songea Binti. Il ne reste plus rien de moi. »

Gogo chuchotait quelque chose à l'oreille des enfants. Ils se levèrent.

— On veut monter une pièce, annoncèrent-ils.

C'était une pièce sur Binti. Memory jouait son rôle. Elle travaillait à la radio, puis son père mourait et elle devait partir vivre avec un oncle méchant. Et finalement, elle arrivait au Mulanje et tout le monde était heureux. La pièce s'acheva là et le public autour du feu applaudit bien fort.

Binti applaudit également. Elle savait qu'ils étaient gentils avec elle. Elle savait que Memory ne se moquait pas d'elle. Elle continuait à la traiter de façon méprisante, parfois, parce que Binti était maladroite pour des choses importantes, comme démarrer le feu ou faire cuire le *nsima*. Mais elle ne détestait pas Binti. Binti applaudit parce qu'ils étaient gentils, et elle voulait les remercier.

Cependant, elle sentait son esprit vagabonder ailleurs. Elle avait perdu sa mère, son père, sa maison, son école, son frère, sa sœur. Et à présent, tout ce qui lui restait et qui faisait qu'elle se sentait différente, qui faisait qu'elle n'était pas seulement une orpheline dans la montagne, elle ne l'avait plus.

Il ne reste plus rien de moi, pensa-t-elle à nouveau.

Elle n'arrivait pas à se débarrasser de cette impression.

Les semaines suivantes, Binti eut l'impression d'être sans cesse dans une sorte de brouillard. Elle faisait ce que Gogo lui demandait de faire pour s'occuper de ses cousins. Elle assistait aux cours deux fois par semaine et faisait la queue au Club des Orphelins avec son assiette pour avoir du *nsima* et des haricots. Mais la petite lumière en elle était éteinte.

— Parfois, on se sent mieux quand on fait une bonne action, lui dit Gogo un jour.

Binti essaya. Avec l'aide d'une des voisines, elle transforma sa chemise de nuit pour en faire un vêtement pour Beauty. Il y avait assez de tissu avec sa belle robe pour confectionner une jupe pour Machozi et un chemisier pour Gracie. Binti n'était pas experte en couture – l'essentiel du travail fut réalisé par la voisine – mais elle eut chaud au cœur quand elle donna ses cadeaux. Le brouillard se dissipa de sa poitrine durant un petit moment.

Un jour, il y eut au Club des Orphelins une animation inhabituelle. Une fête était organisée dans la clairière, avec des habitants du village et des invités qui récoltaient de l'argent des autres continents pour le Club. Des garçons de la région avaient formé un groupe de musique avec des percussions faites de boîtes d'huile, une guitare et un harmonica. Les gens dansèrent et tapèrent dans leurs mains au son de l'orchestre.

Les enfants avaient préparé des chants et des sketches tout spécialement pour ce jour-là et ils les présentèrent aux invités.

Quand tout fut terminé et que l'on eut fini le repas, les invités annoncèrent une nouvelle magnifique. Ils allaient faire une distribution de savon !

Binti se joignit à la file d'attente des enfants et attendit son tour. Ceux qui étaient en tête riaient et sautaient dans tous les sens, leur précieux cadeau à la main. Binti reçut le sien, un morceau de savon rose bien dur qui sentait bon. Elle jeta un regard à son uniforme d'écolière qui était crasseux et râpé. Dans quelques jours, il serait propre à nouveau.

— J'ai des nouvelles pour toi.

Binti leva les yeux et vit Jeremiah qui l'avait rejointe. Il la tira à l'écart pour lui parler tranquillement.

— Nous avons retrouvé ton frère.

Binti regarda autour d'elle.

— Où ? Il est où ? Il est ici ?

— On va l'amener. Mais ça va prendre quelques jours pour organiser ça.

— Comment ça, quelques jours ? Pourquoi pas aujourd'hui ? Où est-il ?

Jeremiah posa la main sur l'épaule de Binti.

— Binti, ton frère est en prison.

17

Presque une semaine s'était déjà écoulée depuis que les amis de Jeremiah avaient réussi à obtenir une permission pour que Binti se rende à la prison. Elle reprit le chemin de la nationale sur le porte-bagages de Jeremiah jusqu'à la station de bus pour Blantyre. Jeremiah avait reçu de l'argent de l'association anti-sida pour leurs billets.

À Blantyre, ils se rendirent au bureau de l'association et on les conduisit à la prison. On les fit passer entre deux hautes rangées de barrières en barbelés qui entouraient un vaste espace où étaient enclos de nombreux bâtiments. Dans les champs se trouvaient les prisonniers, habillés de tee-shirts blancs, en train de sarcler les légumes. Binti chercha son frère des yeux, en vain.

Ce n'était pas le jour des visites, et les gardiens les adressèrent au bureau du directeur.

— Vous venez d'apprendre que votre frère est incarcéré ici, dit-il à Binti.

C'était un homme sympathique qui parlait d'une voix douce.

— Il est détenu avec des garçons de son âge, dans un quartier spécial pour adolescents. Nous nous occupons de lui aussi bien que nous pouvons. (Le directeur se tourna vers Jeremiah.) Évidemment, il n'y a pas d'argent pour les prisonniers. Je ne vais pas vous faire croire que la vie est facile, dans ma prison. Nous faisons ce que nous pouvons, surtout pour les jeunes, mais ça n'est jamais suffisant.

— Est-ce que je peux le voir maintenant ?

On les fit passer entre deux barrières puis on leur demanda de patienter dans le bureau du travailleur social. C'était une petite baraque en bois avec une plaque de métal en guise de toit qui était entourée d'une barrière l'isolant des autres bâtiments. Binti était si excitée qu'elle ne tenait pas en place. Elle sortit pour aller attendre dehors. De là, elle pouvait voir les baraques du quartier des femmes. Certaines étaient assises dans l'herbe. Binti leur adressa timidement un petit signe de la main. Deux ou trois la saluèrent en retour.

Puis son frère arriva.

Binti se jeta à son cou avant même de le regarder. Il était encore plus maigre qu'avant. Il était en larmes, tout comme elle.

— Venez vous asseoir ici, proposa Jeremiah.

Binti et Kwasi entrèrent dans la bicoque. Elle était envahie par les affaires des prisonniers qu'on gardait là en dépôt. Ils s'assirent sur de vieilles caisses, trop bouleversés pour parler.

— Kwasi est ici parce qu'il a été accusé de vol, dit le travailleur social. Il te racontera tout quand il en sera capable. Pour l'instant, tout ce que je sais, c'est que son oncle l'a accusé d'avoir volé de la nourriture dans son magasin et a appelé la police.

— Il est déjà passé en jugement ? demanda Jeremiah.

— Oh non, pas avant un bon moment. Certains prisonniers attendent ici pendant des années avant de passer devant le juge.

— Viens, dit Binti, qui ne lâchait pas le bras de son frère. (Elle se leva). On va retourner chez Gogo. On s'en va. Maintenant.

Binti et Kwasi firent un pas en direction de la porte. Jeremiah les arrêta.

— Ce n'est pas si simple, Binti. On peut peut-être le faire sortir, mais ça ne va pas se faire aujour-d'hui. Reviens t'asseoir, on va en parler.

Ils obéirent. Kwasi leur raconta ce qui s'était passé.

— Je m'en fichais, du travail, expliqua-t-il. Je savais que ma vie ne serait plus aussi bien qu'avant, mais il y avait une chose qui m'était insupportable, c'était d'avoir faim. La famille avait de quoi manger, mais ils ne partageaient jamais la nourriture avec moi.

Binti devina qu'il n'avait pas non plus le droit de dessiner.

— Gogo dit que tous ses enfants gentils sont morts jeunes, dit-elle.

— Leur grand-mère est une femme exception-nelle, déclara Jeremiah à l'attention du travailleur social. Nous pouvons l'amener ici, elle pourra ten-ter quelque chose. Que faut-il faire pour que ce gar-çon retourne avec sa sœur chez eux ?

— Arrangez-vous pour que l'oncle renonce à sa plainte, dit le travailleur social. C'est un cas extrê-mement courant. L'enfant perd ses parents, il est placé chez des gens qui ne s'intéressent pas à lui, et il atterrit ici. Nous avons des dizaines de garçons, ici, qui ont perdu un parent ou même les deux.

Jeremiah lui toucha deux mots à propos de son association qui se rendait dans les prisons pour expliquer le sida aux prisonniers et aux gardiens. Pendant ce temps, Binti donnait à Kwasi des nouvelles de Junie et racontait comment cela se passait chez Gogo.

— Et toi, c'est comment, ici ? demanda-t-elle.

— J'ai deux copains, dit-il. On est tout le temps fourrés ensemble et on se mêle aux autres le moins souvent possible.

— Où tu dors ?

— On est logés dans un bâtiment qui n'a qu'une pièce. On dort par terre, les uns sur les autres. On doit s'allonger sur le flanc parce qu'on n'a même pas la place de se mettre sur le dos.

— Tu as assez à manger ?

— On est censé manger du *nsima* et des haricots une fois par jour, mais les gardiens apportent la nourriture dans de grandes marmites et il faut se battre pour en avoir. Parfois, on a de la chance, quand même. L'un de mes amis a de la famille qui lui apporte des fruits, et il nous en donne.

— On peut apporter à manger à Kwasi ? demanda Binti, interrompant la conversation des deux hommes.

Le travailleur social répondit qu'ils pourraient laisser de la nourriture à l'entrée. Les gardiens la lui passeraient et il la donnerait à Kwasi.

— Sinon, tu peux venir les jours de visite avec de la nourriture.

Le moment de se dire au revoir fut douloureux. Binti n'avait aucune idée de la façon dont elle allait pouvoir trouver de l'argent pour acheter de quoi manger pour son frère, ni même pour pouvoir lui rendre visite à nouveau, mais elle promit de s'occuper de tout.

— Ne perds pas espoir, dit Jeremiah à Kwasi. Maintenant que nous savons où tu te trouves, nous allons revenir.

Binti suivit du regard son frère qu'on ramenait à sa cellule. Elle savait pourquoi il ne se retournait pas pour lui faire signe. Il ne voulait pas fondre en larmes devant les autres garçons. Ils se rendirent au marché, achetèrent quelques fruits et les déposèrent devant le portail d'entrée. Les gardiens avaient été prévenus et promirent de les transmettre au travailleur social.

Après cela, Binti songea à aller rendre visite à ses vieux amis de Story Time, mais finalement elle y renonça. C'était sa vie d'avant. Maintenant, elle était engagée dans une nouvelle vie.

18

— J'en ai assez ! fulmina Gogo. Ceux de mes enfants dont j'étais fière sont morts. Ceux qui restent ne sont pas dignes d'être mes enfants !

Elle se rendit chez tous les voisins en quête d'un peu d'argent qui lui permettrait d'aller à Monkey Bay. Ceux qui le purent lui vinrent en aide. Elle partit le lendemain.

— Je vous fais confiance, vous vous occuperez des petits, dit-elle à Memory et à Binti au moment de partir. Je serai de retour très vite.

Elle se fit accompagner par une voisine. Binti et Memory les regardèrent s'engager sur le sentier.

— Elle n'a pas la forme qu'il faut pour entreprendre ce voyage, fit remarquer Memory.

— Elle est malade ? Je sais qu'elle est vieille, mais je ne savais pas qu'elle était malade.

— Elle se fait beaucoup de souci. Ce n'est pas bon pour sa santé.

Elles ne quittaient pas le sentier des yeux.

— Est-ce que ton frère va travailler un tout petit peu ? demanda Memory.

— Comment ça ?

— Je veux dire, il nous aidera, ou il voudra qu'on s'occupe de lui ?

Binti sourit.

— Ne t'inquiète pas pour Kwasi. Tu vas voir.

— Ah, quand même, un sourire.

— Qu'est-ce que tu veux dire ?

— Ça fait des semaines que tu tires une tête d'enterrement, comme si tu étais la seule à avoir perdu quelque chose.

Cela déplut à Binti.

— Je fais ce qu'il y a à faire.

Memory défit le nœud qui retenait Beauty à son dos.

— Oui, ça, pour le travail, je ne dis pas, reprit-elle. Mais tu te comportes encore comme si tu n'étais pas comme nous. Pas complètement, en tout cas. Comme si on t'avait mise là par accident et que tu attendais que quelqu'un vienne te repêcher. Comme si tu étais spéciale.

— Oui, j'ai été spéciale, à un moment.

— Ah oui, la radio, c'est ça. Tu vas passer ta vie à dire aux gens : « Une fois dans ma vie j'ai été à la radio » ?

— Mais qu'est-ce que tu en sais ? s'énerva Binti. Tu n'as aucune idée de ce que c'est, que d'avoir quelque chose d'aussi fabuleux et de le perdre.

— Alors pourquoi tu n'es pas contente d'avoir eu ça ? Vraiment, Binti, parfois tu perds la tête.

Binti fut vexée d'entendre Memory dire cela, et encore plus vexée de se dire qu'elle avait raison.

Le lendemain matin, elle se réveilla avec une forte douleur au ventre. Et l'élancement qui lui cisaillait la tête fut loin de s'apaiser avec le coq qui tenait absolument à rentrer à l'intérieur de la cabane et signaler à tout le monde que le jour se levait. Binti sauta sur ses pieds et le jeta dehors.

— Tu saignes à la jambe, dit Gracie qui faisait la course avec Machozi jusqu'aux toilettes.

Binti regarda ses jambes : du sang coulait bel et bien le long de ses cuisses. Elle ne voyait pas où elle s'était coupée : cela ne pouvait vouloir dire qu'une chose...

— J'ai le sida ! J'ai le sida !

Memory la rejoignit immédiatement, mais tandis

211

que Binti sautait dans tous les sens, prise de panique, Memory lui jeta un rapide regard et partit d'un grand éclat de rire.

— Ta mère ne t'a jamais parlé des règles ?

Binti la regarda sans rien dire pendant assez long-temps, puis regarda ses jambes à nouveau, le moment de panique passé.

— Ma sœur m'en a parlé.

— Va te laver. Je vais te donner quelque chose. Et vous deux, allez ouste ! dit-elle aux deux petites filles qui leur tournaient autour en gloussant.

— Prends ça, dit Memory en lui tendant un vieux tissu une fois que Binti se fut lavée.

— Tu n'en as pas besoin ?

— Tant que j'allaite Beauty, je n'ai pas mes règles.

Elle caressa le tissu qui était doux et avait perdu de ses couleurs.

— C'était la robe de ma mère, dit-elle.

Binti fut très émue du cadeau que cela représentait. Elle détacha l'insigne de préfet des élèves de son uniforme et l'attacha à la chemise de Memory. C'était à ses yeux le plus beau cadeau qu'elle pouvait lui faire.

Gogo avait pensé être de retour deux jours plus tard, mais elle fut absente presque une semaine. Les

212

enfants se sentaient seuls, sans elle. Binti et Memory s'en sortaient pour ce qu'il y avait à faire dans la maison – cela n'était pas très différent des autres jours. Mais ce n'était pas pareil, sans Gogo, qui savait calmer un bébé ou faire cesser une dispute entre Binti et Memory en s'arrangeant pour que l'une et l'autre aient l'impression de bien s'en sortir. Avoir un adulte avec elles, un adulte plein d'affection, c'était bien autre chose.

Gogo revint à la fin de l'après-midi du sixième jour. Kwasi était avec elle.

C'était l'un de ces miracles dont parlait toujours le pasteur, mais auquel Binti n'avait jamais assisté. Elle leva les yeux du foyer : il était là. Il avait l'air plus grand que lorsqu'il était en prison. Il était maigre, évidemment, mais son visage était toujours traversé par ce sourire de biais qui lui donnait l'air d'être au courant de tas de mystères, des secrets du monde les plus incroyables.

— Kwasi ! !

Binti ne le lâcha pas avant que Gogo lui intime l'ordre de le laisser s'asseoir.

Il s'installa sur le banc à côté de leur grand-mère et fut bientôt entouré d'une horde d'enfants qui voulaient prendre sa place à côté d'elle. Binti se glissa à côté de son frère.

Memory entra dans la cour, un seau d'eau posé sur sa tête.

— Voici ton cousin, Memory, dit Binti. Le bébé sur son dos, c'est Beauty, sa fille.

Kwasi se leva. Un petit dans les bras, il fit un pas vers Memory et la libéra du seau qu'elle portait. Un peu d'eau coula sur le visage de la jeune fille. À la grande surprise de Binti, elle ne parut pas en prendre ombrage.

Peu de paroles furent échangées, cette nuit-là. Gogo était fatiguée et Kwasi exténué. Il fut difficile de caser tout le monde dans la cabane, mais Kwasi fit remarquer que c'était toujours moins bondé qu'en prison.

Ce fut une douce nuit, pour Binti. Son frère était là, avec elle. Il fallait qu'ils retrouvent Junie et la ramènent à la maison, elle aussi. Gogo leur ferait de la place à tous.

L'hiver froid et sec laissa place au printemps. Bientôt arriveraient les doux et chauds mois d'été de décembre et de janvier.

— On n'a pas énormément à manger, ici, dit Binti à Kwasi comme pour s'excuser.

— C'est toujours plus que ce que j'avais en prison, dit-il, et ici je n'ai pas à me battre pour en avoir.

Petit à petit, il reprit des forces. Les jours où il

n'y avait pas de réunion du Club des Orphelins ni d'école, il allait en stop jusqu'à Mulanje Town pour chercher du travail. Parfois, il rapportait de la nourriture qu'il avait gagnée. D'autres fois, on le payait en espèces.

— J'aimerais bien gagner de l'argent, moi aussi, dit Binti à Memory. Il y a tellement de choses dont on manque. Si nous avions un second seau, on pourrait aller chercher de l'eau à deux, et on ferait le trajet deux fois moins souvent.

— Il faudrait réparer le toit, aussi, ajouta Memory. Les pluies peuvent être violentes, dans la région. J'ai entendu parler de familles englouties sous leur toit qui s'était effondré. Mais on a besoin de toi, ici.

Binti savait ce que Memory voulait dire par là. Plusieurs des tout-petits étaient malades, Gogo passait le plus clair de son temps allongée, et Memory, certains jours, était même trop fatiguée pour piler le *nsima*.

Un jour, Binti vit la fatigue s'abattre d'un seul coup sur le visage de Memory. Elle devint couleur de cendre et s'étendit par terre de tout son long à même la poussière. Binti courut vers elle, mais Kwasi était déjà là. Il enleva sa chemise et en fit un oreiller qu'il plaça sous sa tête pour la soutenir. Puis il défit le *chintje* qui retenait Beauty, en entoura sa taille, avec Beauty devant lui. Il fit des roucoulades au bébé, sans même sembler se rendre compte qu'il avait l'air un peu idiot.

Arriva la saison où le Malawi souffre de la faim et où le prix du maïs grimpe en flèche. Machozi et Gracie montrèrent à Binti et à Kwasi comment trouver les racines et les baies qui se nichent dans les fourrés pour que leurs repas soient plus consistants. La faim rendait les deux petites filles plus silencieuses. On les entendait moins gazouiller.

Parfois, Binti surprenait Kwasi en train de dessiner avec un bâton dans la poussière. Elle savait qu'il brûlait d'envie de tenir un crayon et une feuille de papier entre les mains. Elle eut une idée. Elle alla chercher le script de son émission de radio.

— Tu n'as qu'à écrire sur le dos de ces feuilles, proposa-t-elle.

— Tu es sûre ?

— C'est du papier. Mais je n'ai pas de crayon, par contre.

— Ne t'inquiète pas. Je vais trouver une solution.

Kwasi était rayonnant de joie. Il prit un morceau de bois carbonisé dans le foyer et se mit aussitôt à dessiner – des oiseaux, pour commencer, bien sûr, mais comme les petits l'entouraient pour le regarder faire, il se mit à leur tirer le portrait.

« Au moins un problème résolu », se dit Binti.

Jeremiah continuait à chercher Junie. Il contacta toutes les associations d'éducation contre le sida qu'il connaissait en leur demandant de l'aider dans ses recherches.

— C'est vraiment gentil de ta part de faire ça pour nous, lui dit Kwasi un jour où Jeremiah avait fait halte chez eux et leur rendait compte de ce qu'il avait trouvé. Ma sœur sera touchée de l'apprendre, quand tu l'auras trouvée.

— Non, non, c'est bon, pas besoin de..., bredouilla Jeremiah qui parcourut toute la cour des yeux sans regarder une seule fois Binti et son frère.

— Il est amoureux de notre sœur ? dit Kwasi une fois que Jeremiah fut parti.

— Amoureux de Junie ? Mais il ne l'a vue qu'une fois, à l'enterrement de Bambo.

— Oui, et alors ?

Binti se rappela le jour où elle avait rencontré Jeremiah à l'église du Mulanje. Il avait posé des quantités de questions sur Junie.

Puis elle pensa à autre chose.

— Mais il est séropositif.

— Oui, et alors ? C'est son sang qui est malade, pas son cœur.

Son regard se posa sur Memory qui était de l'autre côté de la cour. Il s'aperçut que Binti le regardait et s'appliqua à observer l'écorce d'un arbre à la forme bizarre qui se trouvait non loin de là.

— Oh, pour l'amour de Dieu. Je suis donc la seule personne normale, ici ?

Binti s'éloigna de quelques pas, puis il lui vint une autre idée.

— Hé, tu t'imagines, Junie sur le porte-bagages de Jeremiah ?

Kwasi saisit immédiatement le script et, à l'aide d'un bâton de charbon de bois, en quelques traits, il croqua une Junie raide comme un balai perchée sur la boîte de Jeremiah, une Junie typique, toute droite sur ses jambes, la chemise boutonnée jusqu'en haut, le visage totalement dépourvu d'humour. C'était vraiment drôle, et Binti sentit que sa sœur lui manquait encore plus.

Quelques semaines plus tard, il y avait un enfant en moins.

Il n'était pas resté avec eux très longtemps. Sa propre mère était morte une semaine avant.

— Je ne pensais pas qu'il était si malade, dit Binti en regardant le visage de l'enfant que Kwasi tenait dans ses bras.

— Les enfants peuvent mourir d'un arrêt du

cœur, comme les adultes, dit Gogo. Sa mère lui manquait, et son chagrin a laissé le mal qu'il avait en lui l'emporter. Il faut que nous trouvions des roseaux pour l'enterrer.

Les gens qui n'avaient pas assez d'argent pour acheter un cercueil ou une couverture pour inhumer leur mort tressaient des roseaux dans lesquels ils enveloppaient le défunt.

— On va lui construire un cercueil, proposa Binti.

— Comment ? Nous n'avons ni planche ni outil.

— On va se débrouiller.

Gogo resta dans la cabane pour veiller le corps du petit, tandis que Kwasi et Binti confectionnaient le cercueil dont ils avaient fait les plans.

Accompagnés de Machozi et de Gracie, ils partirent à la recherche de branches de bois et de roseaux. Ils voulurent tresser les branches, mais cela ne tenait pas. Ils essayèrent d'attacher les branches aux roseaux, mais cela ne fut pas plus solide. Finalement, Binti alla emprunter une machette pour tailler des branches plus grosses, et lia les jointures par des roseaux pour les renforcer. C'était solide.

— Pour un adulte, cela ne suffirait pas, dit Kwasi, mais ça ira pour un jeune enfant.

À l'aide d'un morceau de charbon de bois, il dessina un oiseau dans le fond.

Il n'y eut pas de funérailles rituelles avec un prêtre. Les voisins se joignirent à eux et on enterra le garçon aux côtés de sa mère dans une tombe de fortune au milieu des arbres. On chanta des chansons et lut des prières et des pages de la Bible, puis le petit corps fut envoyé de la façon la moins triste possible vers une autre vie, là-haut dans le ciel.

19

Deux jours plus tard, Binti était en train d'essayer de baigner un petit qui se tortillait en hurlant. Un homme entra dans la cour, l'air abattu. Memory faisait la lessive.

— C'est ton petit frère ? demanda-t-il à Binti.

— Mon cousin, répondit-elle.

L'homme adressa la parole au petit d'une voix douce pour retenir son attention pendant que Binti finissait de lui faire sa toilette. Enfin, elle réussit à l'habiller.

— Mon fils est un petit peu plus jeune que lui, dit l'homme. Il va bientôt mourir, est-ce que vous pouvez lui fabriquer un cercueil ? Je veux qu'il soit enterré dignement, mais je n'ai pas de quoi payer.

— Est-ce vous pouvez nous aider à réparer notre toit ? demanda Memory tout en essorant une chemise et en l'étendant sur une branche.

L'homme recula pour mieux voir la maison.

— Je ne suis pas extrêmement compétent, dit-il, mais je ferai de mon mieux.

— Alors, on fabriquera un cercueil pour votre fils, conclut Memory.

— Je le lui aurais fait gratuitement, fit remarquer Binti un peu plus tard. Il avait l'air tellement triste.

— Ça ne l'aurait pas empêché d'être triste, et notre toit d'avoir toujours des trous, répliqua Memory. Toi tu construis les cercueils, moi je négocie avec les clients.

Et c'est ainsi que les enfants démarrèrent leur affaire de cercueils. Dans les jours qui suivirent, Memory prit trois nouvelles commandes pour des cercueils pour bébé. Chacun était différent, car le bois n'était jamais le même. Mais ils tenaient tous solidement et les bébés avaient ainsi un meilleur endroit pour reposer dans la terre sombre.

Un voisin les paya avec des ignames, les deux autres en liquide. Les enfants allèrent voir Gogo pour qu'elle se décide à dépenser cet argent.

— Je sais que tu voudras distribuer cet argent

autour de toi, dit Memory à leur grand-mère, mais si nous achetons du bois et des outils, cela nous servira à gagner encore plus d'argent.

— Si on a un seau de plus, on devra aller à la pompe moins souvent, suggéra Binti.

— Mes petits-enfants sont magnifiques, dit Gogo. Je vous laisse décider.

Finalement, ce furent le bois et les outils. Kwasi se rangea aux côtés de Memory, ce qui ne surprit personne. Binti s'occupa de Beauty et des autres enfants tandis que Kwasi et Memory se rendaient à pied à Mulanje Town pour essayer de se procurer des outils d'occasion.

Binti essaya d'attacher Beauty dans son dos, comme le faisait Memory, mais tout ce qu'elle parvint à faire fut de se ridiculiser devant Machozi et Gracie. Elle alla demander de l'aide à Gogo, mais celle-ci rit tellement que Binti renonça. Elle fit mine d'être vexée, mais au fond c'était bien plus amusant de rire avec elles.

— J'ai vraiment les petits-enfants les plus adorables et les plus drôles, dit Gogo quand elle reprit enfin son souffle.

Elle aida Binti à accrocher le bébé dans son dos avec le *chintje* puis rentra dans la cabane pour faire une petite sieste.

Cela plaisait à Binti d'être responsable de la maison pour l'après-midi.

— Il nous faut de l'eau, dit-elle à Machozi et Gracie, et les petites se précipitèrent avec le seau.

Elle prépara le *nsima*, balaya la cour et, quand les petites revinrent avec l'eau, elle les envoya surveiller le feu. Pendant ce temps-là, Beauty dormait, chaudement et solidement installée sur le dos de Binti. Peu après, Binti la sentit qui gigotait. Elle demanda aux filles de l'aider à détacher le bébé, lui fit sa toilette et s'assit avec elle pour remuer le repas du soir sur le petit brasero.

— Nous voilà ! cria Kwasi qui revenait avec Memory.

Ils traînaient derrière eux de longues planches de bois à l'extrémité desquelles étaient fixés un vieux marteau, une scie rouillée et un petit sachet de clous.

— Kwasi a tiré le portrait du propriétaire et il nous a donné ce bois, expliqua Memory.

— Et Memory a marchandé pour le reste, ajouta Kwasi. Tu l'aurais entendue... Il nous reste même de l'argent !

Ils déposèrent le bois et firent déguerpir les enfants loin du matériel.

Binti alla leur chercher à boire.

— La soupe est presque prête. Allez réveiller Gogo, dit-elle à Machozi et Gracie.

— Gogo ! Gogo !

Les petites s'engouffrèrent dans la cabane à toute vitesse.

— Nous devrions nous fabriquer une enseigne pour que les gens sachent ce que nous faisons, dit Memory. Et il nous faudrait un nom, pour notre affaire.

— *Aux Portes du Paradis*, proposa Kwasi.

— « Nos cercueils vous emmèneront droit au Paradis », ajouta Binti.

— Aux Portes du Paradis... on dirait un nom qui porte bonheur, reconnut Memory.

— Gogo ! Réveille- toi ! entendirent-ils dire Gracie en riant.

— Tu crois qu'on pourrait se servir d'une de ces planches pour faire l'enseigne ? demanda Binti.

— Gogo ! Gogo ! Réveille-toi !

Cette fois, Gracie ne riait plus.

Kwasi fut le premier à se précipiter dans la cabane – avec ses grandes jambes, c'était lui qui courait le plus vite.

Les deux petites filles tiraient Gogo par le bras.

— Lève-toi !

Binti et Kwasi les firent sortir de la pièce.

Memory quitta la cabane quelques instants plus tard, le visage couvert de larmes.

— Elle est partie, cria-t-elle, notre Gogo est partie.

Ils lui fabriquèrent un cercueil.

Kwasi posa la scie sur la planche, mais ne parvint pas à la couper. Il tendit l'outil à Binti.

— Tu as toujours été meilleure que moi, pour ça.

Binti fit quelques essais puis, fermant les yeux, elle se représenta son père présent à ses côtés, lui expliquant la marche à suivre. Elle coupa les planches et les ajusta. Les jointures s'articulaient bien entre elles, et même si elle dut utiliser plus de clous que son père ne l'aurait fait, le cercueil fut solide.

Comme il n'y avait pas assez de bois pour le couvercle, ils fixèrent par-dessus une natte de roseaux. Machozi et Gracie allèrent cueillir le roseau et Memory le tressa. Kwasi n'avait pas de peinture : à l'aide d'un clou, il grava un oiseau sur le fond du cercueil. Ils soulevèrent Gogo et l'y installèrent de façon à ce qu'elle y soit le mieux possible.

Jeremiah vint les assister.

— Est-ce que la famille va venir nous prendre nos affaires ? demanda Binti en parcourant du regard la petite cour.

Il n'y avait pas grand-chose à prendre.

— Non, les rassura Jeremiah. Gogo a dit au prêtre de les appeler s'il lui arrivait quelque chose, et de leur dire de ne pas venir. Elle a dit qu'ils vous avaient fait du mal et qu'il ne fallait pas leur donner l'occasion de recommencer. Elle a aussi fait rédiger au pasteur une lettre où elle dit que ce qui lui appartient vous reviendra, et non à ses enfants.

Il y eut beaucoup de monde à l'enterrement de Gogo. Les enterrements étaient si fréquents dans le voisinage que les gens devaient choisir celui auquel ils voulaient se rendre, sinon ils passaient leurs journées à cela. Binti se rendit compte à quel point sa grand-mère était aimée, car une foule de gens vint lui faire ses derniers adieux. Ils pleuraient une femme qu'ils avaient aimée, et qui les avait aimés. Ils entonnèrent les chants de deuil et prièrent, serrèrent les enfants dans leurs bras et leur apportèrent de la nourriture, pour ceux qui en avaient. Le prêtre était très ému. Il leva les mains vers le ciel pour entonner son sermon.

— Cette femme était bonne, et elle travaillait comme dix sur cette terre. L'amour qu'elle témoignait à ses enfants se voit au magnifique cercueil qu'ils lui ont fabriqué pour qu'elle repose paisiblement dans sa dernière demeure maintenant qu'elle a fini de travailler. Nous pouvons les aider en nous adressant à eux pour les cercueils dont nous avons besoin, et en nous comportant avec eux comme avec notre famille.

Le cimetière de l'église était rempli de tombes et bondé. Binti et les autres enfants jetèrent la première poignée de terre sur le cercueil. Kwasi et sa sœur aidèrent les tout-petits à lancer la terre à leur tour. Memory pleurait trop fort pour le faire. La terre tombait avec un bruit sourd sur le cercueil qu'ils avaient fabriqué.

Quand ils quittèrent l'église, plusieurs personnes vinrent les voir pour leur passer commande de cercueils pour des membres de leur famille qui étaient malades et ne guériraient pas.

— Je viendrai vous voir dans quelques jours, leur dit un homme. Vous aurez besoin de temps avant d'être moins tristes et de pouvoir vous remettre au travail.

— Ne nous laissez pas trop longtemps être tristes, lui répondit Kwasi. Nous avons beaucoup d'enfants à nourrir.

20

La maison de Gogo, pleine d'enfants, semblait ter-
riblement vide. Les petits, habitués à la tendresse de
la vieille dame, étaient sans cesse accrochés à Binti,
Kwasi et Memory. Jeremiah resta avec eux quelques
jours, puis il dut partir.

— Je vais continuer mon enquête. Peut-être que
quelqu'un a vu Junie, dit-il au moment de reprendre
la route.

— C'est ici qu'elle devrait être, fit observer
Kwasi.

— C'est bien mon avis, dit Jeremiah en enfour-
chant son vélo.

Le commerce de cercueils prenait de l'ampleur, pas beaucoup, mais tout de même. Memory parla au prêtre et aux gens du Club des Orphelins et obtint un petit emprunt qui leur permit d'acheter du bois et des outils supplémentaires. Elle négocia avec le propriétaire d'une boutique qui lui fit cadeau d'un vieux bidon de peinture presque vide. Il contenait assez de peinture pour que Kwasi puisse peindre une enseigne. Il ébouriffa le bout d'un bâton pour en faire un pinceau. Sur l'enseigne, il écrivit :

Aux Portes du Paradis
Nos cercueils vous emmèneront directement au Para-
dis

Machozi et Gracie, trop petites pour se servir des outils, étaient chargées du balayage de la cour.

— Nous devons faire preuve de respect pour ceux qui sont en deuil, leur dit Binti. Une cour propre, c'est le signe que nous prenons leur douleur au sérieux. Et puis, cela diminue les risques d'incendie.

Elle avait bien retenu les leçons de son père.

Ils gagnèrent de l'argent. Pas beaucoup, mais suffisamment pour pouvoir manger les jours où il n'y avait pas de réunion des orphelins du Club. L'absence de Gogo leur était un peu moins douloureuse quand ils étaient occupés à toutes leurs activités.

— Un jour, il faudra qu'on construise une autre cabane, dit Kwasi. Quand les enfants auront grandi, nous n'aurons plus assez de place, ici.

— On pourrait peut-être aussi acheter des couvertures en prévision de l'hiver, proposa Binti.

Se sentir bien au chaud alors que le chiperoni soufflait dehors serait un luxe fabuleux.

Kwasi s'occupait, en général, des négociations avec les clients, mais s'ils venaient à discuter les tarifs, Memory s'interposait. Kwasi était si aimable que les gens l'aimaient tout de suite. Il parcourait le village à pied et parlait aux gens des Portes du Paradis.

Les clients ne voulaient pas tous des cercueils. Une femme avait besoin d'un banc pour pouvoir prendre le frais dehors une fois le travail terminé. Quelqu'un en avait assez de dormir par terre et voulait un lit. Kwasi dessina des croquis et fit des plans. C'était Binti qui, en général, s'occupait de la construction car elle savait s'y prendre pour les mesures. Depuis la mort de Bambo, à force de porter les seaux d'eau et les enfants, ses bras étaient devenus vigoureux, elle était également plus habile. Memory traitait avec les fournisseurs, tâchant d'obtenir les meilleurs prix pour le bois.

Certains clients payaient en argent liquide. D'autres en nature, donnant de la nourriture. L'un d'eux donna une luxueuse boîte de savons que sa femme avait reçue d'un cousin d'Angleterre. Elle ne s'en était jamais servie et, à présent, il était trop tard. Memory les échangea contre des savons plus ordinaires et un deuxième seau.

— Ça va bientôt être la saison des pluies, dit Memory. Il faut trouver un moyen pour garder le bois au sec.

— Et pour que *moi*, je sois au sec quand je travaille le bois, ajouta Binti.

— Le plus urgent, ce sont les planches, dit Memory avec un large sourire.

Binti lui sourit en retour.

Jeremiah les aida à bricoler un toit fait d'une bâche en plastique pour protéger l'endroit où Binti avait installé son atelier. Elle pouvait s'y tenir debout même par temps de grosse pluie sans se mouiller. En général, une flopée d'enfants restaient avec elle, jouant dans les copeaux et les chutes de bois.

Jeremiah revint les voir avec de bonnes nouvelles.

— J'ai trouvé votre sœur !

Binti appela Kwasi qui jouait au football avec les

petits. Memory sortit de la cabane où elle était en train de passer le balai.

— Elle n'est pas très loin, précisa Jeremiah. Elle vit dans le Muloza, tout près de la frontière du Mozambique, à environ quarante kilomètres d'ici.

— Pourquoi est-ce que tu ne l'as pas amenée avec toi ? demanda Binti.

— Elle ne voulait pas venir, pas encore. Venez, on va parler.

Ils se réunirent autour du feu. Memory lui tendit une tasse pleine d'eau.

— Qu'est-ce qu'elle fait, au Muloza ? demanda Kwasi.

— Elle partage une petite maison avec d'autres femmes. Elles distraient les routiers et... euh, c'est comme ça qu'elles gagnent leur vie.

Kwasi bondit et saisit vivement la tasse que Jeremiah tenait dans ses mains.

— Menteur !

— Kwasi ! cria Binti en attrapant son frère et le retenant par le bras – mais il se dégagea et fit lever Jeremiah en l'agrippant par le devant de sa chemise.

— Tu n'as pas le droit de dire ça sur notre sœur !

Jeremiah ne se débattit pas ni ne chercha à se défendre. Il semblait parfaitement calme sous le regard furieux de Kwasi. Celui-ci le lâcha enfin, alla se rasseoir et se mit à pleurer. Jeremiah s'accroupit à côté de lui.

— Ta sœur Junie est l'une des femmes les plus délicieuses que j'aie jamais rencontrée, dit-il d'une voix douce.

Kwasi s'essuya les yeux avec la manche de sa chemise.

— C'est *pas possible* que Junie fasse ça. Tu ne la connais pas. Jamais elle ne ferait une chose pareille.

Binti se souvint de la vie qu'elles menaient à Lilongwe.

— Junie était perdue, dit-elle, je sais ce que c'est, de sentir qu'on perd pied.

Kwasi réfléchit, puis hocha la tête lentement.

— C'est ce qui m'est arrivé à Monkey Bay. Je commençais à oublier qui j'étais, de quoi j'étais fait. C'était encore pire en prison.

— Je me suis perdue moi-même quand mon oncle s'est servi de moi, dit Memory. Gogo m'a aidée à me retrouver.

— Et quand on m'a dit que j'étais séropositif, j'ai pensé que je n'étais qu'une maladie, rien d'autre. Il n'y avait plus de Jeremiah, seulement le virus VIH.

— Et comment est-ce que tu as fait pour te retrouver toi-même ? demanda Kwasi.

— J'ai rencontré d'autres gens qui étaient séropositifs. Ils disaient qu'ils n'étaient pas malades, ils vivaient de manière optimiste. Dès que j'ai entendu ces paroles, j'ai senti que Jeremiah revenait en moi.

Ils restèrent un instant sans prononcer une parole, comme si chacun pensait à ce qu'était sa propre vie, puis Kwasi se leva.

— Prépare-toi, Binti, on va aller chercher notre sœur.

— Non, c'est impossible ! protesta Jeremiah. Elle a honte. Elle a besoin qu'on soit très gentil avec elle et... et il y a autre chose...

— Quoi ?

— Elle voulait que je vous le dise. Les hommes paient plus si elle accepte de ne pas utiliser de préservatif. Elle m'a demandé de lui faire passer le test. Elle est séropositive.

— Et alors ? demanda Kwasi.

— Elle ne sait pas si vous voudrez bien qu'elle revienne.

— Elle se croit vraiment si spéciale ? dit Binti. J'en ai assez de l'attendre.

Elle se dépêcha de se préparer pour le voyage.

— Mais vous ne savez pas où elle est, protesta Jeremiah.

— C'est pour ça que tu vas devoir nous accompagner, répliqua Kwasi.

Ils furent prêts en quelques minutes. Au moment de partir, Kwasi dit à Memory :

— Tout va bien se passer pour toi ?

— Ramène ta sœur, répondit-elle. Nous avons besoin d'elle, ici. Et dépêche-toi. On a des commandes qui attendent.

Binti, Kwasi et Jeremiah prirent la direction de la nationale. Jeremiah grommelait dans sa barbe, mais quand Binti lui demanda : « Tu n'as donc pas envie de la revoir ? », son visage s'éclaira aussitôt.

Ils prirent place à l'arrière d'un camion qui transportait du thé, en compagnie d'enfants qui travaillaient sur les plantations. Binti s'assit sur des sacs de feuilles de thé tandis que le camion s'engageait à vive allure sur la nationale.

Très peu de temps après, ils arrivèrent au Muloza. Binti regarda au loin la frontière du Mozambique. Le pays, là-bas, ressemblait au Malawi. Le conducteur les déposa sur le bas-côté de la route.

— Où on va, maintenant ? demanda Kwasi à Jeremiah.

— Par là.

Quelques petites maisons étaient dispersées, derrière la nationale, au-delà des boutiques à bouteilles. Des femmes et des enfants étaient assis devant les portes. Des camions de toutes tailles étaient disséminés autour de la bourgade.

— C'est là qu'elle est, dit Jeremiah.

La maison ressemblait à toutes les autres, petite

et délabrée, mais la cour venait d'être balayée et des fleurs poussaient le long des murs.

— On sent bien que c'est Junie qui habite ici, fit remarquer Kwasi.

Il s'approcha de la porte. Elle s'ouvrit au moment où il allait frapper.

Binti ne reconnut pas la femme qui était dans l'entrée.

— Nous cherchons notre sœur, Junie Phiri, dit Kwasi.

La femme sourit.

— Junie me parle sans cesse de vous. Bonjour, Jeremiah.

Elle les conduisit dans le petit salon où d'autres femmes et leurs enfants passaient le temps en attendant la nuit, où elles reprendraient le travail.

Puis Junie arriva.

Kwasi la serra dans ses bras avant même que Binti se soit rendu compte que sa sœur était dans la pièce. Quand Junie put se dégager, Binti la regarda.

Junie avait un fichu sur les cheveux, une jupe nettement plus courte que ce que son père l'aurait autorisée à porter, et un haut rose vif, le genre de vêtement que Junie aurait repoussé avec dédain si elle l'avait trouvé sur un étal de fripier.

Binti ne la quittait pas des yeux, mais ne s'approcha pas d'elle. Junie aussi restait là où elle était.

Quand enfin Binti prit la parole, ce fut pour prononcer des mots auxquels elle-même ne s'attendait pas.

— Tu m'as laissée là-bas toute seule ! explosa-t-elle.

— Je pensais que c'était ce que j'avais de mieux à faire.

— Tu aurais pu me prendre avec toi, cria Binti qui fondit en larmes et sanglota longuement.

Elle essayait de se calmer mais rien n'y faisait.

Junie sortit un mouchoir, fraîchement repassé, de la poche de sa mini-jupe et, très gentiment, sécha les larmes qui coulaient sur les joues de sa sœur jusqu'à ce que celle-ci s'apaise. Elle passa doucement la main sur le col de l'uniforme d'écolière de Binti.

— Qu'est-ce que tu as fait de ton insigne de préfet des élèves ? demanda-t-elle.

— Je l'ai donné à Memory.

— Que tu te défasses de quelque chose qui comptait tant pour toi... tu n'es plus une enfant, si ?

Binti se pencha à l'oreille de sa sœur pour lui glisser quelques mots. Junie l'embrassa sur le front.

— Alors, tu es grande, maintenant, dit-elle.

— Tu sais, pour Gogo ? demanda Binti.

— Jeremiah m'a dit.

— Rassemble tes affaires, dit Kwasi. On rentre à la maison.

238

— Je vais t'aider, proposa Binti.

Les autres femmes éclatèrent de rire.

— Junie avait fait son sac pour vous rejoindre bien avant de venir ici.

— Alors, ce ne sera pas long, dit Kwasi.

— Attends, dit Junie. Vous ne pouvez quand même pas débarquer comme ça et me donner des ordres.

— Eh bien si, dit Kwasi.

— Et tu te dépêches, ajouta Binti, sinon il va t'arriver des bricoles.

Cette parole fut fatale. Cette fois, ce fut au tour de Junie de se mettre à pleurer et se jeter dans les bras de sa sœur.

— Oh non, vous l'avez fait pleurer, s'écria Jeremiah. C'est pas juste.

Les femmes rirent à nouveau quand elles se rendirent compte que le jeune homme en pinçait pour Junie.

— Allez, ne t'en fais pas, dit l'une d'elles en l'entourant de ses bras. Si Junie ne veut pas de toi, moi je t'épouse.

Junie fut si gênée que la seule idée qu'elle trouva pour se sortir de cette situation fut de se mettre à donner des ordres à tout le monde pour qu'on l'aide à retrouver ses affaires et qu'on fasse attention en les transportant.

L'une des femmes sortit de la maison et alla chercher un routier qui partait pour le Mulanje. Trois minutes plus tard, les ballots étaient chargés dans le camion. Junie fit ses adieux à ses amies.

— Venez nous voir au Mulanje, les invita Binti, et elles promirent toutes de venir leur rendre visite.

Peu après, ils reprenaient le chemin de la nationale, en route pour la ville.

Binti était assise à côté de sa sœur. Junie s'était changée. Elle avait remis son vieil uniforme de lycéenne, qui avait été reprisé et nettoyé.

— Je l'avais gardé pour aujourd'hui, dit Junie quand elle vit le regard de Binti posé sur elle. Je regrette que tu m'aies vue habillée comme tout à l'heure.

— Cela ressemble plus à ce que tu es, dit Binti.

— C'est *vraiment* moi.

Binti se rapprocha de sa sœur. Dans quelques heures, elles seraient à la maison.

21

— On est arrivés, dit Binti.

Elle se sentait maintenant chez elle dans la maison de Gogo et elle se disait qu'*Aux Portes du Paradis* avait l'air d'un magasin vraiment sérieux, mais elle tâchait de se mettre à la place de Junie. Est-ce que sa sœur trouverait la maison trop délabrée, l'atelier trop petit ? Est-ce qu'elle tournerait les talons et repartirait ?

Mais Junie était tout sourire. Et quand Memory sortit de la maison pour lui souhaiter la bienvenue, elle sourit encore plus.

— Tu es Memory, certainement, dit-elle. Jeremiah m'a tout raconté sur toi. Et voici Beauty, je suppose.

— Et Gogo m'a tout raconté sur toi aussi, répliqua Memory. Tu es la bienvenue, nous avons besoin de toi.

— Qu'est-ce qu'il y a, dans les sacs ? demanda Gracie.

Junie embrassa Beauty sur le front.

— Il y a un petit quelque chose pour chacun. Cela fait longtemps que je trouve et garde des choses pour vous. Je prévoyais de venir ici dans deux semaines, pour Noël, pour vous faire une surprise.

— Et c'est nous qui t'avons fait la surprise, dit Kwasi. Laissez un peu Junie tranquille, ajouta-t-il à l'attention des petits qui ne cessaient de s'accrocher à elle, tout excités.

Le premier balluchon contenait du savon, des aiguilles et du fil, une cocotte, des assiettes et une bassine en plastique pour le bain des petits. Un autre sac contenait des vêtements et des couvertures. Dans le troisième, plus petit et plus lourd, elle avait mis du riz, du thé, des haricots secs et un peu de médicaments.

C'est le quatrième ballot qui excita le plus la curiosité des enfants. Il contenait des ballons pour les petits, du papier et des crayons de couleur pour

Kwasi, un morceau de *chintje* neuf pour Memory et un livre de pièces de théâtre pour Binti.

— C'est un livre d'occasion, expliqua Junie. Tu étais tellement bonne actrice, à la radio. Tu devrais continuer à jouer et devenir actrice plus tard.

Binti ne s'était pas rendu compte combien il lui avait manqué d'avoir quelque chose à lire jusqu'à ce moment où elle eut ce livre dans les mains. *Pièces de théâtre pour jeunes acteurs*. Binti lut le titre en anglais.

— Il y a peu de gens, ici, qui connaissent l'anglais, dit-elle.

— Tu leur traduiras, dit Junie.

Elle avait aussi des calepins et des stylos, dans son sac. Elle discuta avec Kwasi et Memory de l'emploi qu'ils devraient faire de l'argent liquide qu'elle avait également sur elle.

Binti, désireuse de se plonger dans son livre, s'éloigna de quelques pas pour trouver un endroit tranquille.

— J'ai encore quelque chose pour toi, Binti, lui dit Junie en lui tendant un exemplaire de *Youth Times*, celui qui contenait l'interview d'elle.

— Comment... tu l'as récupéré chez tante Agnes ?

— Non. À mon avis, ils l'avaient brûlé. Quelqu'un vendait ces journaux dans la rue. Je savais que cela te ferait plaisir de l'avoir. C'est une chose dont tu peux être fière.

Binti s'assit sous un arbre et ouvrit le journal. En pages intérieures se trouvait la photo d'elle, debout devant le micro, en train de lire son script. Mais la fille sur la photo parut presque étrangère à celle qui était assise sous l'arbre. Était-ce vrai qu'elle avait parcouru la ville en s'arrangeant pour qu'on voie son script ? Binti eut un tout petit peu honte de ce qu'elle avait été autrefois, de ce qui lui avait semblé si important à l'époque.

Mais oui, c'était une chose dont elle pouvait être fière, d'avoir été à la radio et d'avoir fait du bon travail. Il lui revint en mémoire les lettres qu'elle avait reçues et les moments où M. Wajiru l'avait félicitée, et comment son père l'appelait « ma petite fille célèbre ».

À présent, il y avait d'autres choses dont elle pouvait être fière. Elle s'était dressée devant tante Agnes, même si cela lui avait valu des coups. Elle savait aller chercher de l'eau à la pompe et cuire du *nsima*, s'occuper de petits qui avaient besoin d'elle. Et elle apprenait à devenir une vraie actrice, pour incarner un vrai personnage dans une pièce, pas seulement pour faire ce que le directeur lui disait de faire.

Binti leva les yeux de la photo qui la représentait

devant le micro. De l'autre côté de la cour, les grands, sous l'enseigne des Portes du Paradis, discutaient et faisaient des plans pour l'avenir, les petits criaient et riaient comme si c'était déjà Noël. Dans un coin de la cour, protégé de la pluie, plusieurs cercueils étaient disposés, des petits et des grands, impeccablement rangés, attendant que les clients viennent les chercher.

— Les larmes entrent dans nos cercueils, avait dit un jour son père après que des parents, le cœur brisé, étaient venus chercher le cercueil de leur enfant. Les larmes allègent les cercueils et font que le mort monte plus vite au Paradis. Il est plus difficile d'aller au Paradis si personne ne pleure quand tu meurs. Nos cercueils contiennent beaucoup de bon chagrin.

Depuis, Binti avait pleuré son père et sa grand-mère. Il y aurait sans doute d'autres larmes à venir, car la vie et l'amour exigeaient d'elle apparemment des flots de larmes, beaucoup de travail, et aussi des moments difficiles, où elle devait tenir bon quand elle avait envie de tout laisser tomber.

Son père avait raison, il y avait le chagrin, mais il y avait les rires, aussi, et ce qu'on avait à soi, et le fait qu'on ait besoin de vous et que vous manquiez à quelqu'un.

Binti se leva et épousseta ses vêtements. Il fallait

aller chercher de l'eau et préparer le repas. Quand les autres en auraient assez d'esquisser leurs plans d'avenir, la soupe serait prête. Ils mangeraient tous ensemble et iraient se coucher. Et demain ils démarreraient tous une nouvelle journée.

Quelques informations données par l'auteur

VIH veut dire virus d'immunodéficience humaine. Ce virus détruit le système immunitaire du corps, c'est-à-dire le système qui nous protège contre les maladies. Les gens dont le sang a été testé et dans lequel on a trouvé le VIH sont dits séropositifs.

Sida veut dire syndrome d'immunodéficience acquise. Les gens qui ont le sida ont d'abord été infectés par le VIH qui a affaibli leur système immunitaire. Ceux qui ont le sida n'ont pas la force de lutter contre les maladies. Ce sont ces maladies-là qui causent leur mort, des maladies telles que la tuberculose, la pneumonie ou même un simple coup de froid. Le VIH se propage par les relations sexuelles non protégées, les aiguilles ou lames de rasoir non stérilisées ou, avant que le donneur ait passé le test, par le sang contaminé. Les mères séropositives peuvent transmettre le virus à leur bébé durant la grossesse, au moment de la naissance ou en allaitant. Ce virus ne se transmet pas par les baisers, le contact de la peau ou quand on boit dans la même tasse ou mange dans les mêmes assiettes que quelqu'un qui est séropositif.

Même si le contact ordinaire ne transmet pas le virus, par peur ou par manque d'information et d'éducation, les personnes séropositives sont mises à l'écart. Il y a peu, aux États-Unis, des parents ont voulu empêcher un garçon d'aller à l'école avec leurs enfants parce qu'il avait été contaminé par le virus du sida suite à une transfusion sanguine. Ce type de comportement aggrave une situation déjà difficile en associant un sentiment de honte à la contamination. Et la honte empêche les gens de rechercher et de connaître la vérité sur le sida.

Quarante millions de personnes vivent aujourd'hui dans le monde avec le VIH ou le sida, et ce nombre ne cesse de croître. Quelques précisions sur ces quarante millions de personnes :

— plus de vingt millions sont des femmes ;

— plus de trois millions sont des enfants de moins de quinze ans ;

— quinze millions vivent en Afrique sub-saharienne.

Plus de treize millions d'enfants d'Afrique sub-saharienne ont perdu leurs parents à cause du sida. Le nombre de ces « orphelins du sida » va doubler d'ici 2010.

Contrairement à d'autres pandémies comme la grippe, le sida emporte en général les malades quand ils sont jeunes, alors qu'ils sont au moment de leur vie où leurs forces sont les plus vives d'un point de vue économique. Ce qui est source de difficultés considérables pour des pays dont les ressources sont déjà très limitées car le personnel médical, les agents de l'État et les professeurs meurent si vite qu'on n'a pas le temps de leur trouver des remplaçants. Les médicaments qui ralentissent l'action du virus (sans le détruire totalement) sont disponibles, mais chers. En Afrique du Sud, par exemple, ils coûtent plus cher par mois que ce que la plupart des gens gagnent en un an. On a promis de fournir des médicaments moins chers, mais ils tardent à arriver.

La guerre répand le sida quand les femmes sont violées ou forcées à se prostituer, quand les gouvernements dépensent le budget de la santé et de l'éducation en armes et en soldats. La pauvreté répand le sida quand l'instruction des gens est interrompue et qu'ils n'ont pas le choix, quand le coût des médicaments dépasse leurs moyens et quand même des soins de base comme un régime alimentaire correct leur sont difficiles ou impossibles. Nous ne disposons pas – pas encore – de vaccin contre le sida ou le VIH. Mais nous pouvons prendre des mesures pour éviter la guerre et atténuer la pauvreté.

Sur l'auteur

Dès qu'elle le peut, Deborah Ellis voyage, écoutant les histoires des gens, en particulier celles que les enfants racontent de leurs vies. Ceux sur lesquels elle écrit sont véritablement vivants. Cela nous apprend la façon dont les vrais enfants et les vrais adolescents, en d'autres temps et en d'autres lieux, ont pu vivre ou vivent aujourd'hui, quel que soit le fardeau que la vie les amène à porter.

Voici quelques questions que l'on pose souvent à Deborah sur son travail, sur *Binti, une enfance dans la tourmente africaine*, ou sur sa propre vie, et les réponses qu'elle peut y apporter.

Q. Pourquoi avez-vous choisi d'écrire sur les orphelins du sida ?

R. Nous avons fabriqué un monde où la majorité des enfants vivent une forme de guerre, et j'écris sur eux pour rendre hommage à leur force et à leur courage. Quand on voit, aux informations, les histoires que racontent les réfugiés, les victimes de guerre et les enfants touchés par le sida, on les voit comme un ensemble indéterminé de gens. Nous avons du mal à nous rappeler qu'il s'agit d'individus, tout comme nous, de gens qui ont une famille, qui espèrent, qui ont peur, tout comme nous nous espérerions et aurions peur dans les mêmes situations. Dans mes livres, j'essaie de montrer que nous sommes proches, même si les circonstances de leurs vies sont tout à fait différentes des nôtres. Mon espoir est que plus nous les connaîtrons, moins nous serons susceptibles de rester là à côté d'eux en nous contentant de les regarder souffrir.

Q. Quelles recherches avez-vous faites pour votre livre ?

R. J'ai passé du temps au Malawi et en Zambie, à rencontrer des enfants atteints par le sida et des adultes qui s'occupent d'eux.

Q. Vous écrivez beaucoup sur des situations dramatiques. Pourquoi cela vous intéresse-t-il autant ?

R. C'est le courage qui m'intéresse – dans quelles circonstances nous en avons ou nous n'en avons pas, et comment nous prenons la décision d'être courageux ou lâches. Les catastrophes fournissent une excellente toile de fond pour explorer ce thème du courage. J'ai écrit sur des enfants qui vivent en Afghanistan, dans des camps de réfugiés au Pakistan, d'autres qui sont pris au milieu de la guerre en Israël et en Palestine, des endroits où les enfants sont forcés d'être plus courageux qu'ils devraient l'être en temps normal. Dans notre vie de tous les jours également, pour de petites ou de grandes décisions, nous devons tous faire le choix d'être courageux ou non. Je suis militante pacifiste et je veux écrire sur la façon dont les gens agissent de manière décente, en tant qu'êtres humains, quand ils sont placés dans des situations qui visent à détruire tout ce qu'il y a de bon en eux. La gentillesse est une chose largement partagée, même dans les moments de désespoir.

Q. Binti existe-t-elle vraiment ?

R. C'est un personnage inventé à partir de nombreux éléments qu'on repère chez les enfants dans de pareilles situations. Elle m'a été inspirée par une petite fille que j'ai rencontrée, qui jouait un personnage dans une série radiophonique qui traite de thèmes sociaux.

Q. Vous avez une sœur. Est-ce que vous vous identifiez plutôt à Binti, la cadette, ou à Junie, l'aînée ?

R. Nous étions deux enfants, et je suis la plus jeune. Ma sœur Carolyn a presque deux ans de plus que moi. Nous nous disputions quand nous étions petites, mais maintenant nous nous entendons très bien. C'est une femme incroyable, elle est infirmière, mais aussi musicienne, et mère de deux filles formidables, Kim et Deanna.

Q. Allez-vous écrire d'autres livres sur les orphelins d'Afrique ?

R. Je travaille sur un livre documentaire sur les enfants touchés par le VIH et le sida en Afrique sub-saharienne, qui proposera des entretiens avec des enfants qui racontent ce qui leur est arrivé, comment ils vivent cela, et comment cela transforme leur façon de se voir et de voir le monde.

Q. Quelle est la chose la plus importante que vous ayez retenue de votre séjour au Malawi et en

Zambie, et des autres endroits où vous vous êtes rendue ?

R. J'ai appris que ce qui compte le plus, ce sont « les enfants des autres ». Les enfants du monde sont une bénédiction pour nous tous. Et puis nous en sommes responsables.

Q. Combien de temps encore allez-vous écrire ?
R. Jusqu'à épuisement.

Composition JOUVE – 62300 LENS
N° 957042y
Achevé d'imprimer en Espagne par LIBERDÚPLEX
Sant Llorenç d'Hortons (08791)
32.04.2750.1/01 - ISBN : 978-2-01-322750-6
Loi n° 49-956 du 16 juillet 1949 sur les publications destinées à la jeunesse
Dépôt légal: mars 2009